キミは他人《ひと》に鼻毛が出てますよと言えるか

北尾トロ

幻冬舎文庫

キミは他人《ひと》に
鼻毛が出てますよ
と言えるか

はじめに

日常生活のなかには〝やってみたいけど、ちょっと勇気がいるよな〟と、ついためらってしまう、そんなシーンがちょくちょくある。

ヤクザにからまれている人を助けるとか、そんな大げさな話じゃない。もっと些細《ささい》な、もっとビミョウな、ほとんどどうでもいいこと。うまく説明できないが、やってやれないことはないけど少しばかり度胸がいるとか、恥ずかしい気持ちに打ち勝たなければならないとか、そういう種類のことだ。

必然性はない。誰からもホメられるわけじゃなく、しなかったところで困るわけでもない。だから普通はやらない。で、やりたい気持ちはありながら行動に移さないまま日々が流れていく。

それでいいのか！

いいんだろう。ぼくもそう思って生きてきた。日々の生活のなかで小さな勇気を出したことはほとんどない。

しかしだ。ちょっと勇気を出せば胸のつかえが取れるかもしれないのに、何もしないまま死んでいくのは悔しいではないか。やりすごすのはもう十分やった。やり尽くした。前々から「やってみたかったけど、できなかったこと」を、いまこそ実行に移してみてはどうか。

ぼくの好きな歌「365歩のマーチ」のなかで、チータ（水前寺清子）は明るく歌っている。

〈幸せは歩いてこない　だから歩いていくんだよ〉

やってみなけりゃどうなるかわからんだろ、行動しなければリアクションもないだろってことだ。そしてチータは、こう言ってぼくの背中を押す。

〈人生はワンツーパンチ　汗かきベソかき歩こうよ〉

そう、やればいいのだ。勇気を出せばいいのだ……。

こうして始まったリポートは当初「裏モノの本」（三才ブックス）に連載され、途中から「裏モノマガジン」「裏モノJAPAN」（鉄人社）に場所を変え続行された。本書に収録したのは計29回のなかから選んだ15本の原稿。ぼくなりの〝小さな勇気〟が詰まった本を作ることができたと思う。

本文中、ときどき「オガタ」の名で登場するのは、一貫してこのリポートを担当した、現「裏モノJAPAN」編集長・尾形誠規氏である。ポエトリー・リーディングに挑戦した際、緊張の極みに達したぼくに勝るとも劣らないほど恥ずかしさを覚えるなど、「オガタ」もまた随所に小心ぶりを発揮してくれた。

だが、なんといっても感謝すべきはチータだろう。連載時のタイトルを「365歩のマーチ」にしたように、困難に挑もうとするとき、ぼくはいつでも彼女の声を頭に鳴り響かせていた。ビビっている状態から一気に勝負に出るタイミングあたりで、この名曲を思い出しつつ読んでもらえれば幸いである。

そして、それが「そうそう、一度やってみたかったんだよ」と小さくコブシを握ってもらえることであればいうことなしだ。

目次

第二章　そのひと言がなぜ言えない 69

第三章　勝負のときはきた

筆者に勇気と希望を与え続けてくれたチータ（水前寺清子）に本著を捧ぐ。

第一章　ぼくはただキミと話がしたいだけなんだ

電車で知らないオヤジに話しかけ飲みに誘う

そのオヤジはおびえたようにぼくを見つめた

電車に乗っていて、ふと目についたオヤジが気になって見ているうち「どんな人なのか、話してみたい」という欲求が突き上げてくることが、ぼくにはよくある。

その人生、暮らし、仕事、家族。外見からは想像できないほどドラマチックなものを、このオヤジは秘めているのではないだろうか。妙に鋭い眼光といい、無防備に見え隠れしている鼻毛といい、なかなかの人物なのかもしれん。その可能性はある。ないかもしれんが、確かめてみる値打ちはある。

なにしろこの混雑した車内で、そのオヤジはスッと僕の目に飛び込んできたのだ。二人の間で何かがピタリとハマった、そう解釈することもできるではないか。話してみたい……。

とまあ、こんなふうにモンモンとオヤジを見つめていることがあるわけですよ。

これまでは、思っているだけだった。ヘンな奴と思われそうで気が引けるし、どう話しかければいいかもわからなかった。「あなたに興味があるから話したい」といきなり話しかけてうまくいくんだったら世のなか苦労はないもんな。そう思ってあきらめてきた。

でも、いまは違う。ぜひとも話しかけ、一緒に途中下車して話を聞くのだ。場所はそうだな、どっかの安い居酒屋あたり。ぼくはたいして飲めないから、つまみが充実している店が理想だ。

1998年1月29日、午後9時。ぼくは新宿から地下鉄丸ノ内線に乗った。この路線は終点でJRとつながっているので、降りた人は地元の人でなければいったん改札を出てJRに乗り換える。つまりワンクッションがあることで、会話が弾んだ場合、誘いやすいのだ。

それが無理でもJRに一緒に乗って、再びチャンスを窺《うかが》うこともできる。終点まで行く人は改札に近い最後尾車両に集まるので、話しかけたはいいが会話が弾む前に降りられる可能性も少ないだろう。

混《こ》んでいると思ったら、電車はガランとしていた。最後尾からゆっくり歩いて、この人ならと思える相手を探していると、くたびれたスーツを着たサラリーマン風の男が目についた。外見と不釣り合いなほどリッパなカバンを足下に置いている。

年齢は50ぐらいだが痩《や》せているのでカンロクはない。放心したように窓の外を見つめる目つきが印象的だ。悩んでいるというのではなくて、途方に暮れている感じ。今日、何かあったな。このオヤジをあんな目にさせる何かが。

よし、あの人にしよう。誰かに胸の内をぶちまけたい心境かもしれない。

だが、どうやって接近すればいいのか。旅行に行ったときなど、列車で見知らぬ人と話をすることは珍しくもない。先日も温泉旅行の帰りに、横に座った初老のオヤジと楽しい会話をしたばかりだ。新幹線で、隣人と話すことだってないわけじゃない。でも、ここは地下鉄。通勤電車の車内である。

さりげなく話しかけ、いい雰囲気になったら「このまま別れるのもナンだから、ちょいとビールでも」と誘うだけのこと。理屈では十分可能に思えるが、それは頭のなかの話。押し黙った人々が疲れたカラダを家に運ぶ車内には、気安く他人に話しかけられるムードはまったくない。

が、やるしかない。これを逃せばあのオヤジとはもう一生会えない可能性もあるのだ。ぼくは緊張感に包まれつつ、接近のタイミングを計った。

終点まであと4駅になったところで、思い切って横に座る。他にいくらでも空席があるのに、わざわざ隣に座るのは都会の乗車ルールに反すのか、オヤジはアレッという顔だ。いかん。警戒される前に、明るく話しかけねば。

「寒いですねえ」

無難に天気の話題から入ってみたが、オヤジは何も答えない。前を向いて呟《つぶや》いたから独り言に取られたか。もう一度だ。

「あしたも寒いんですかね。天気予報、聞きました？」

シーン。返答なし。

「会社の帰りですか？」

再び話しかけると、オヤジはおびえたようにぼくを見つめ、あいまいにうなずく。空気が凍りつくのがはっきりわかった。

「9時か、中途半端な時間だなあ」

話題がないのと居酒屋に誘いたいアセリから、ぼくは上ずった声でわけのわからない言葉を口にした。オヤジはもう、ぼくを無視することに決めたらしく、目を閉じ拒否モードに入っている。

気がつくと、乗客がこっちを見ていた。目が合うと視線を伏せる。前の座席に座った男は席を立ち、隣の車両に移動していった。ぼくから逃れるためのようだ。

顔が熱くなり、わきの下からツーッと汗が流れ落ちる。いたたまれなくなったぼくは、次の駅で飛び降りた。

完全な失敗である。たいしたことは言ってないのに、あの寒さは何だ。

そりゃあ、ぼく自身緊張していたし、唐突すぎたのは否定しない。それにしたところで、オヤジはともかく周囲の人まであんな目つきで見るなんて過剰反応じゃないのか。都会の電車では、人を見たらドロボーか変質者と思えってことなのだろうか。

〝明日の競馬〟を武器に攻めるもムナシく敗退

翌日金曜の晩、今度は午後7時過ぎの丸ノ内線に乗った。考えてみれば、昨夜は時間帯がよくなかった。みんな疲れていて、家に帰ることしか考えてない感じだった。この時間なら、どこかで一杯やってから帰るのも悪くないと思うかもしれない。

しかし、この日も状況はキビシかった。なかなか「この人なら」と感じる人はいないもんだし、いても隣の席が空いていなければ話をする機会がつかめない。2駅ほど乗ってダメなら、下車して次の電車を待つ。そんなことを繰り返しているうちに、ようやく候補者が現れた。

年のころは40代後半。勤め人風ではなく、個人商店のオヤジというタイプだ。都合のいいことに、夕刊紙を読んでいる。

昨日、うまくいかなかった原因のひとつは、話しかけてもヘンに思われない話題がなかったことだと思う。その点、今日なら明日の競馬という絶好の話題がある。ぼくは競馬の記事も書いたりしているからソコソコ詳しいのだ。バッグのなかには専門紙も持っているから、それを見せてあげてもいい。

もし立場が逆で、ぼくが話しかけられたと考えてみても、競馬の話題についてなら気楽に応じることができる。疑わない。競馬ファンは他のことならいざ知らず、競馬に関しては冗舌なのだ。

ぼくはオヤジの隣に座り、熱心に競馬欄を読んでいるのを確認して、話しかけた。

「明日のメイン、調子よさそうな馬いますか」

ドキドキはしたけど、本当に思っていることだからスムーズに言葉が出た。カンペキ。これなら誰がどう聞いても単なる競馬好きが、たまたま隣にいた同好の士に話しかけたとしか思えない。ぼくは何の不安もなく、オヤジの返事を待った。

しかし、戻ってきたのは迷惑そうな表情だけ。オヤジはページをめくって三面記事を読み始めた。またしても拒絶。仕方なく、ぼくは競馬新聞を出し、読むフリをする。でも、オヤジはチラっと眺めただけで興味を示さず、ぼくは次の駅で降りるしかなかった。

この日はもうひとり、話をしてみたいと思える人がいたが、週刊誌を読んでいるそのオヤジに「嫌な事件が続きますね」と話しかけると、オヤジは黙ってぼくの人相風体を見、サッと席を立って10メートルほど離れたところにあった空席に去ってしまった。

これほどはっきりと嫌われたことは、しばらくない。それにしても、この程度の会話すら成立しないなんて、いったいどうしたんだ。

途中下車した駅のホームで、自分の顔を鏡に映してみると、赤いコートに帽子をかぶった得体のしれない中年男の姿がそこにあった。ゲイやヤクザにも見えないだろうが勤め人には見えない。この、中途半端な雰囲気がいけないのかもしれないな。

さらに翌日。自分なりにまともな格好をして丸ノ内線に乗る。そのせいか、この日は初めて会話らしい会話に成功した。相手は競馬新聞を持った50歳前後の勤め人である。

終点まであと3駅というところで話しかけてみたのだが、相手も乗ってきて、ぼくたちは明日のメインレース「フェブラリーステークス」についてあれこれと見解を述べあった。やったという気持ちだ。

だがしかし、ぼくの目的は〝知らない誰かと途中下車〟すること。これしきのことで満足するわけにはいかない。電車のなかで話を盛り上げておいて、地下鉄を降りるまでには、このまま別れるには名残惜しいレベルまで親密度を増しておかなければ。

「ところで、今日は仕事だったんですか」

「ええ。馬券も買えなくてね」

「その分、明日ですか」

「まあね」

いいぞ、会話が途切れない。この人となら楽しい時間が過ごせそうだ。

やがて電車は終点の荻窪に到着。オヤジは素早く新聞を四つ折りにしてコートのポケットにしまいこんで席を立った。慌てて後を追い「乗り換えですか」と尋ねる。聞くと、国分寺まで帰宅するらしい。

改札を出た。左に曲がるとすぐ、JRの改札だ。誘うならいましかない。

「あの……」

オヤジに並びかけ、これしかないという誘い文句を口に出す。

「よ、よかったらどこかでビールでも飲みながら、もう少し検討しませんか」

このとき、ぼくは本当にオヤジともっとしゃべりたかったから、まずまず自然なセリフだったはずである。

が、瞬時にしてオヤジの顔色が曇った。こいつ、何を言いだすんだ、そんな表情である。

「あ、ビールじゃなくても、喫茶店でもいいんです。あの、30分か1時間ぐらいどうですか」

丁寧に頼んだつもりだったけど、数秒間の間を置いて戻ってきた返事は冷たかった。

「嫌です」

オヤジはきっぱりと言ったのである。急ぐからとか忙しいからではない。嫌なのだ。ひどい……。

おそらくゲイか宗教の勧誘あたりとカン違いされたんだと思う。ぼくはショックで凍りつく気分だった。去っていくオヤジの後ろ姿を見送る僕の脳裏に〝東京砂漠〟という懐かしい歌のフレーズが響きわたる。

ニーチャンは選挙なんか行くのか？

アセリを感じる。電車で見知らぬ人と知り合い、途中下車して大いに盛り上がりたいのに、さっぱりうまくいかない。

考えてみりゃぼくも普段そうなんだけど、日常の足に過ぎない電車に乗っている間なんて、みんな自分のカラに閉じこもって目的地に着くのを待っているだけなのだ。のんびりしているわけでもなければ、楽しいわけでもない。いくら大勢の人が乗っていても、人と人が接触することなどほとんどゼロ。飲み屋で偶然隣に座った人と仲良くなるのはカンタンでも、共通項もない赤の他人と車内で知り合うのは至難の業《わざ》なのだろう。

何の成果も出せないまま終わりか。暗い気持ちになり始めた翌週、ぼくは起死回生のチャンスを迎えた。いつものように丸ノ内線、時間は午後6時。「この人以外にはあり得ない」と思えるほど興味をそそられるオヤジを発見したのである。年齢不詳だが、おそらく50歳を超えたあたり。野球帽にピッタリした革ジャン、地味なスラックスを身につけ、それだけやけに新品の〝Ｗｉｌｓｏｎ〟のロゴが入ったバッグを持っている。

明らかにサラリーマンではない。日焼けした顔に刻み込まれた深いシワが、これまでの人生が山あり谷ありだったことを物語っているような、味のある顔なのだ。話をしてみたいなあと心底思える相手だった。

胸の高鳴りを抑え、シルバーシートに腰掛けているオヤジの隣に座る。オヤジは目を閉じているが、眠ってはいない。終点まで4駅。きっかけがほしい。

しばらくすると、オヤジは目を開けて雑誌の車内吊り広告を眺め始めた。つられて見ると、広告に大蔵省スキャンダルの見出しがデカデカと印刷されている。

「役人もひどいですねぇ」

ぼくは慎重に話しかけてみた。するとオヤジはすぐに「まったく信用ならねぇな」と答えてくれるではないか。しかも、ひとしきり広告をネタに話した後、「で、ニーチャンは選挙なんか行くのか?」と尋ねてもくれた。髪の長いぼくを見て、若いと判断したらしい。

「前回は行きませんでした」

「選挙は行かなきゃダメだぞ。棄権ばっかしてたら世の中は変わらねぇんだから、ははは」

いい感じになってきた。

「仕事帰りですか」

「そうだよ」

「じゃあJRに乗り換え?」

「ああ。立川の先だから」

ここから先は、むしろオヤジの方が会話をリードするカタチになった。リラックスしてしゃべってくれるので、こっちも緊張しなくて済む。この調子なら脈ありかもしれない。ダメだとしても、変人を見るような目で断られたりはしないだろう。

ところが、とんだハプニングが起きた。あと2駅というところで、乗り込んできた初老のオバサンがぼくの前に立ってしまったのだ。しかもこのオバサン、なにやらブツブツしゃべっている。

「いやー電車のなかはあったかいわねえ。外は寒くて寒くて。こんなに冷えるんじゃあまた雪でも降るんじゃないかしらね」

自分のやってることは夕ナに上げて、一瞬変な人かと思った。というのもそのオバサン、黒い渦巻き型の帽子をかぶり、派手な緑のコートにスカーフというでたちだったのだ。

まあそんなことはどうでもいい。重要なのは、ここがシルバーシートだってこと。オバサンの狙いがぼくであることは、はっきりしている。

せっかくオヤジとの会話が弾んでいるのにもったいないが、しょうがない。僕は席を譲った。それでもオヤジと離れたくないから、オバサンの前に立つことにする。

「あなた、ちゃんと席を譲ってエライわよ」

オヤジと話したいのに、オバサンが話しかけてきた。

「私、家を出るとき慌ててたもんだからバッグ忘れちゃって、いったん引き返してからまた出直したのよ。ダメねぇ歳《とし》を取ると」

「はあ……」

「これでも若いときは記憶力抜群だったのよ」

オバサンはしゃべり続ける。その勢いは圧倒的で、オヤジと話すことができないほどだ。

ぼくは生返事を繰り返しながら、こうなれば荻窪に着いてから再びオヤジに話しかけ、寄り道を提案しようと考えた。

到着すると、オヤジはバッグを肩に引っ掛けて出口へ向かった。さぁあとを追え、そして……。しかし、オバサンがぼくの腕を捕まえて立ち上がったため、後れを取ってしまった。オバサンは少し足が悪いようだ。

そのこともあって、なんだか先に行くのも悪い気になり、階段を横に並んで上ってからオヤジを追った。たぶんまだ改札には入っていないはず。ぼくは切符発売機目指して走った。が、オヤジはいない。カードか定期で入ってしまったのだろう。ということは、ホームだな。

そのとき、快速電車が到着する音が聞こえた。これから切符を買っていたら間に合わない。万事休すだ……。ぼくは、いいオヤジを見つけたのに、誘うこともできないまま見失ってしまったのである。

「さっきはありがとうね。助かったわよ」

ガックリしているぼくに声がかかった。振り向くと、さっきのオバサンである。

「寒くなると足が調子悪いのよ。あなたは階段なんかピョンピョン跳ねていくんだろうけど」

どうやらこの人、ぼくを気に入ってくれたらしく、再び通路でしゃべり始めた。オヤジを逃してガッカリしていたぼくは、なす術《すべ》もなく話につきあう格好になる。そして、ぼくは派手な装いのオバサンにしばらくつきあっているうちに、ふと思ったのだ。

この人で、どうかな。

「あの、これからどうするんですか？」

60歳カルテットとカラオケで演歌を熱唱

3分後、ぼくはオバサンと一緒に駅前にあるケンタッキーに入り、彼女の友人たち3人とともにテーブルに座っていた。

ぼくが、これからどうするのかと尋ねると、オバサンは「友だちと待ち合わせているけど、あなたもヒマならくればいい」と誘ってくれたのだ。

たぶん本気ではなかったんだろうけど、ぼくにしてみればこれも成り行き。こうしてお邪魔することになったというわけだ。

しかしキヨエさん（彼女の名前）の友人たちは、まったく抵抗なくぼくを歓迎し、コーヒーまでおごってくれた。それというのも彼女たちが平均60歳ぐらいで、ナンパもへったくれもない年代だったからだろうし、キヨエさん同様みんな明るい人たちだからだろう。

彼女たち4人はどこかのカルチャーセンターの仲間だったようで、今日はみんなでカラオケに行く約束をしているという。ダンナの晩飯は作らなくていいのかと尋ねると「たまには羽を伸ばさなきゃ」と陽気に笑った。

なんてことを書いていると、まるでぼくが会話をリードしてるように思うかもしれないけど、実際はまるで違う。彼女たち4人はぼくなどいないかのように最初から盛り上がっており、ときどき思い出したように自分たちの関係やなんかを説明してくれるのである。

「キヨエさんは派手ですよね。地下鉄で目の前に立たれたときはビックリしましたよ」

こんなぼくの一言で各自のファッションの好みの話になり、10分間は盛り上がる。まあ、うるさいことはうるさいんだが、その様子は少しかわいい。いまどきの60才、実にパワフルだ。

「ところであなた奥さんいるの？」

「はあ、いますよ。子供はいませんが」

「それ正解よ。子供なんて自分の思うようには育たないんだから」

これで15分、子供談議が始まる。キヨエさんには子供が2人いて、娘は嫁に行き、息子夫婦は仕事の関係で仙台にいるのだそうだ。

「あらもう、こんな時間。カラオケ行かなくちゃ。あなたも来るわよね」

ひとしきりしゃべったあとで、キヨエさんが言った。

「え、いや、ぼくはもう」

ケンタッキーを出たら別れようと思っていたぼくは、まさかの誘いにうまい断りの文句が浮かばない。

「何言ってるの。あなた若いんだから歌わなくちゃダメよ」

なんという展開。60歳カルテットとカラオケかいな。

ここから先は異次元の世界であった。

マイク片手に乗りまくり、踊りまくる60歳の女たち。熱狂の美空ひばりメドレー。オバサンたちは、何曲も何曲も、彼女たちの青春の歌を歌った。

「青い山脈」を誰かが歌うと、もう合唱だ。「東京ブギウギ」もテンションが高い。そして、みんなうまい。いちおう酒や食べ物も注文はしていたが、あまり手はつけない。彼女たちはとにかく歌いたくて集まっているのだ。

ご指名がかかってキヨエさんと「銀座の恋の物語」をデュエットすると、オバサンたちがキャーキャーはやしたてる。いつも4人で歌っているので、ぼくという外部の人間がいる今日は、気合いの入り方が違うらしい。

「あなたも何か歌いなさいよ。好きな歌あるでしょ」

カラオケに不慣れのぼくは困ったときいつも歌う、チャーの「気絶するほど悩ましい」で対抗した。

が、まったく受けない。誰も知らない。チャー、WHO?　ってなもんである。

「ごめんね。歌はヘタじゃないのよ。ただ、選曲がねえ、私たちは古いから」

演歌と懐メロ大会は、延々と続いた。

「何時まで歌うんですか」

ひとりに聞くと、終電までには解散するという。終電までってことは12時ぐらいか。いまはまだ9時過ぎだ。

「じゃあ、もう1曲歌ったら帰ります」

「あらそう、まだまだこれからなのに。でも奥さん待ってるもんね。何を歌うの？」

ぼくは絶対にみんなが知っていて、彼女たちがまず歌わない曲を歌おうと思った。

「函館の女《ひと》にします」

これはけっこういい選曲だったらしく、キヨエさんもうんうんとうなずいて笑ってくれた。

軽快にイントロが始まると、拍手がわき起こった。

〈はーるばるぅきたぜ　は〜こだて〜〉

いったいなぜ、ここでこんな歌を歌うハメになったのかはもう考えまい。

あのオヤジは、いまごろ家に着き、風呂にでも入っているころだろうか。できればこの歌は、あの人と歌いたかったなあ。

（1998年4月発行、裏モノの本VOL1掲載）

☆

キヨエさんの登場でオヤジ相手のブルーな展開がにわかにわけのわからない方向に。カラオケ中は絶望的な気分だったが、いまとなっては思い出。キヨエさんは素晴らしいとさえ思う。

もくろみは外れた格好だが、めったにない体験ということになるだろう。ぼくはこれを半分成功したと考えることにした。乗客に白い目で見られながら〝小さな勇気〟を発揮していた連日のテンションの高さが、人なつっこいキヨエさんを呼び込んだのだ。そうに違いない。

それはともかく「やりたかったけど、できなかったこと」のなかで、電車内にまつわることはけっこう多い。ぼく自身、未収録・未発表のものを含め「マナー違反の注意」「痴漢をする」できなかったが）、「電車内化粧女をたしなめる」「〝電車少年〟に話しかける」など、異なるテーマで車内を舞台に勇気を試そうとした。

これまで、本など読みつつ静かに乗っていても、内心でウズウズしていたことが多かったわけである。裏を返せば、電車内はガマンの宝庫とも言えるだろう。トラブルを防ぎ円滑に移動を済ませるために、ガマンするのが当然と思われているフシすらある。

その無言の壁は厚い。偶然同じ電車に乗り合わせたんだし、考えようによってはおもしろい人間関係じゃないかと思うんだけどなあ……。

GW《ゴールデンウイーク》のお台場で孤独な男たちと人生を語り合う

人が楽しそうな顔をしてレジャーに出かける時期ってのがある。盆暮の休暇がそうだし、秋の行楽シーズンってのもそう。学生だったら夏休み、冬休み。あと、クリスマスも定番だろう。

「持たぬ者」＝金や恋人や家族のいない身にとって、こういう時期のお祭り騒ぎは非常にうっとうしいものである。

ただ、金はなければないなりに近場で楽しめるし、家族となると家庭リービ人的な意味合いが強くなるから、この場合の最重要「持たないポイント」はカレシやカノジョってことになるな。

そういう人間はこの手のイベント時期になると、だいたいこんなことを口走る。

「人波に揉《も》まれてまで出かけたいかね、あー貧乏臭くてヤダヤダ」

「どこに行っても満員だし、家にいるのがイチバンさ」

気持ちはわかる。言ってることも正しいと思う。しかし、それはたぶんウソだ。楽しそうなヤツらの顔なんか見たくもないし、出かけていってますます孤独な気分になるのがイヤ。それが本音ではないだろうか。少なくともぼくはそうだった。

いまでも忘れられないのは大学1年時のクリスマスイヴ。そのころぼくは学生寮に入っていたのだけど、みんながデートだパーティだと出かけるのに自分だけヒマだとも言いだせず

「ぼくもパーティに」と口をすべらせてしまった。

行くアテはまったくない。数少ない友人もみんな留守で、やっと連絡がついた同級生には、

「いまカノジョが来てっから」と冷たくあしらわれる始末。いまさら寮へも戻れず、結局ぼくはエロ映画館をハシゴして時間を潰すしかなかった。

しかも、帰ったときにシラフじゃ不自然だからと自販機でビールを買って飲み、寮に戻ってパーティはどうだったと聞かれて「うん、まあまあ」と見栄を張る情けなさ。みじめな青春だ。それ以後、ぼくはお祭り騒ぎや民族大移動の時期を憎み、フリーライターになってからは、これ幸いとばかりにこう言い続けた。

「フリーの人間が、休みがとれない勤め人と同じように騒ぐなんて意味ないよ」

ポーズである。そんなことを言いながら、寂しさに負けてクリスマスイヴの六本木をひとりウロウロしていたのは20代半ばのころだった。だいいち、そんなものはカノジョができればたちまち吹き飛ぶ。本心ではみんなと同じように楽しみたいんだから。

つまり、いろいろ理屈をコネても、本当は家でふとんかぶってフテ寝してるよりデートしたいわけですよ。だけど恋人がいないから、友だちも少ないから、嵐が過ぎるまでひとりジッと耐えるしかないだけなのだ。

さて、前置きが長くなったが、カップル御用達のような華やいだ場所に、なぜかポツンと所在なげにいる男（女についてはよくわからない）を見かけたことがないだろうか。ヒマを持て余し、衝動的に出かけてはみたものの、自分の居場所が見つからずにポツンとするしかない孤独な男たちである。

家を出るときには「ひょっとしたらいいことがあるかも」の淡い期待もあった。「思わぬ成り行きでカノジョができたりして」という可能性もゼロとは思われなかった。

でも、現実はキビシかった。つのる寂しさに震える心。誰でもいい、誰かオレに話しかけてくれ。女でなくてもいい、男でもいいんだ――。ぼくには彼らの気持ちがよくわかる。

よーしわかった。この北尾がきっちり話を聞こうじゃないか。

ホモのナンパと勘違いされている

行動日はゴールデンウィーク半ばの5月2日にした。

連休前半はなんとか部屋で耐えたが、レンタルビデオは飽きたし、テレビもつまらん、電話もぜんぜん鳴らん。今日を含めて4日もある休みは長すぎる。ポツン男が出現するにはもってこいの日と思われる。場所は「お台場」がいいだろう。

当日、ゆりかもめに乗るため新橋駅へ行くと、ものすごい人だった。4割が家族連れで3割がカップル、あとは男女混合または女同士、男同士のグループで、ひとりの人間はほとんどいない。

手始めに「青海」駅で降りてみた。ここには巨大なゲームセンターやトヨタのテーマパークみたいなものがある。目玉は世界一の高さとかいう観覧車で、連休前からニュースなどでも紹介されていたから、カノジョはいないけど乗ってみたいという気になっても不思議ではない。だが、ひとりで乗るのはなんとも寂しいはず。現場まで来てはみても、思わず躊躇《ちゆうちよ》してしまうだろう。

そこで、ぼくが同乗を申し出る。1周するのに十数分かかるから、その間に話が弾めば、お茶でも飲みに行けばいい……。

階上からテーブルと椅子がある広場を見下ろすと、ひとりで座っている男が4人いた。5分ほど見ていると、ひとりは友だちが、もうひとりはカノジョが、さらに中年オヤジの元へは家族がやってきた。残るはひとり。どうやら待ち合わせではなさそうだ。よし行こう。ぼくは階下へ降り、ためらいなく男が座っているテーブルに向かい、あいた椅子に腰掛けた。

男は20代前半。服装は地味で全体的にもっさりした印象だ。

「吸ってもいいですか」

タバコを取りだし、尋ねてみた。うなずく男。

「ひとりですか？」

「え、ええ、まあ」

うむ、やはりそうか。幸先いいぞ。

「ぼくもそうなんですよ。目的はやっぱり観覧車ですか」

「…………」

顔が曇ったかと思うと、男はサッと席を立ち、歩き去ってしまった。周囲の人間も、ぼくをジッと見ている。しまった、ホモのナンパと勘違いされたか。

気まずくなったので場所を変えることにした。今度は喫煙所。ここならそばに寄っていってもヘンじゃない。ちょっとオタクっぽい男がいたので、声をかけてみる。

「ひとりですか……、なんて話しかけるとホモじゃないかと思うかもしれないけど、ぼくはホモじゃないです。ひとりですか」

だが、男は無視。またしても、すぐにどこかへ行ってしまった。

どうしたんだ、いったい。ぼくはちょっと世間話ができればいいと思っている。それで、彼が話し相手を求めていそうだったら、一緒に観覧車に乗ることを提案してみたいだけなのだ。もちろん観覧車でなくてもよくて、ほんの少しでも孤独をやわらげる手伝いができれば、それでいいのである。だからこそ、いつになく気軽に話しかけることができていたのに、連続して無視されるとは……。ハイだった気分が急速にしぼんでいく。

11時になると昔の名車がズラリと並ぶ「ヒストリーガレージ」なる展示館が開場したのでなかに入る。開場30分も前から体育座りをして待ち構えていた男がいたのだ。感じとしてはカーマニアのようだが、オレはにぎやかな場所に行きたいのでも誰かと触れ合いたいのでもなくクルマが見たいんだと、自分を納得させるための口実かもしれない。

案の定、男はロクにクルマなんか見てやしない。古きよきジャガーやキャデラックにも興味がなさそう。そのくせ場内を何周もしている。ヒマつぶしなのだ。

「いいクルマ揃えてますね」

男が外へ出たところで、思いきって声をかけてみた。

「う〜ん。でも外車はもうひとつじゃないですか」

おお、返事が戻ってきたぞ。なになに、外車がどうしたって。

「もう少しマニアックかなと思ってたんですけど」

そうか、キミは展示が物足りなくて興味なさそうにしてたのか。男がタバコをとりだしたので、一緒に喫煙所に行く。ぼくと話すのがイヤではなさそうだ。

「それにしてもカップルが多いね。キミは今日、デートじゃないの」

「違いますよ。古いクルマがあるっていうから、見てみようかと思って」

いいねえ、そのスネたような言い方と目つき。

「で、これからどうするの」

「べつに……」

いい感じだ。間違いなく、ぼくが探している人種である。

「せっかく来たことだし、観覧車でも乗りませんか。あ、ホモじゃないですから安心です」

「べつに、そんなことは」

「ぼくもひとりじゃ乗りにくいなと思っていたところなんですよ。行きましょう」

「そう……ですねえ」

人波をかき分けて前進し、観覧車へ行くと長蛇の列だった。

「ここで待っててください。どれくらい待つか聞いてくるから」

並んでまで乗るほどのモノかよ、まったく。こっちは彼の胸のうちや悩みなんかも聞ければという重大な目的をもって観覧車に乗ろうとしているのに。

げ、2時間半待ち。まいったな、方針変更だ。昼飯でも食べながら話そうか。

ところが、戻ってみると男は姿を消していた。慌てて探したら、急ぎ足で駅へ向かう後ろ姿が。お〜い、なんで逃げるんだよォ。

宇都宮から、なぜひとりで

徒労感を覚えつつフジテレビ前に移動すると、局がイベントでもやっているのか、観光地並みのにぎわいだ。主力はカップルと家族だが、赤ら顔のオヤジグループやオバサングループも少なくない。どういうわけか自由の女神まであり、一大観光スポットになっているようだ。

興奮気味の人びとに混じって、退屈そうな表情で立っているひとりの男がいた。30歳くらいだろう。手すりにもたれ、遠い目をして海を見ている。10分以上観察していたが、キョロキョロする素振りはみせない。待ち合わせではないだろう。

憧れのフジテレビを見に来たはいいが、他にすることもなく、内心こなきゃよかったと落ち込んでいるように見えなくもない。ここは積極的に、明るく行動してみよう。

「ひとりですか、暑いっスねえ」

すると意外にも、男はニッコリ笑って答えた。

「ホント、へばってますよ」

「海を見に来たんですか」

「いやーそうでもないんですけど、海見る機会があまりないもんで」

とつとつとした語り口に北関東のなまりがある。

「茨城のかたですか」

「栃木です」

聞くと、わざわざ宇都宮からひとりでやってきたらしい。いったい何のために。

「いや、まあ、いまはお台場でしょう」

なんのことやらわからんが、男はそう答えた。流行《はや》っているからこの目でみたいということなのか。ま、あせりは禁物。時間はまだ1時半だ。それにしてもノドが渇いた。とりあえずジュースでも飲みながら話そうか。

男に何か飲むかと尋ねると、水がいいという。お安い御用だ。ぼくはダッシュで売店に行き、ミネラルウォーターを買い求めた。

「あなたもひとりできたんですか」

水を渡すと男が聞いてきた。

「そうです。ひとりです。だからあなたに話しかけたんですよ。ここはカップルばかりなんで」

雑談中心に話は弾んだ。いい雰囲気だ。しばらくしたら海沿いに歩き、オープンカフェにでも行ってみようか。

しかし、である。時計が1時45分になったのを確認すると、男はにわかに落ち着かなくなり、10メートルほど離れた、女性がひとりで座っているベンチにスタスタ歩いて行ってしまった。

「○○さんですか」

「あ、はい。△△さん？」

「ええ」

「よかった、お待ちになりました？」

「いえ、全然。じゃ、行きましょうか」

待ち合わせだったのだ。しかも、どうやら初対面同士らしい。なんだろう、メル友ってやつか。それとも見合いの一種か。いずれにしてもはっきりした待ち合わせならそう言ったはずだから、相手がこない可能性もあったということになる。

くるかこないか、確率半分のリスキーな勝負にあの男は賭け、わざわざ宇都宮から出てきたのだ。彼は賭けに勝ち、休日を共に過ごす相手をゲットしたのである。ことは、彼女が現れなかったら、ぼくが敗戦処理係になるところだったのか。

ふたりは仲良く歩きだし、ぼくの前を通りすぎていった。男はぼくを一瞥もせず、完全黙殺。そりゃそうだよなあ、30分も前からいたなんてバレたらカッコ悪いもんなあ。だけど水代の150円は払ってほしかったなあ……。

「男は出世ですかねえ」

自分の役割がわからなくなってきた。だいたい、ぼくが探しているような男が、このお台場にいるのだろうか。いたとして、その男は初対面の気楽さに力を借りて、心の悩みまで口ばしってしまいそうなほど強烈な孤独感を持っているのだろうか。

う〜ん、最低ひとりはいるんだけど、それが自分であるところが怖い。人波のなかでの孤独な男探しをしているうちに、逆に寂しさがつのってきてヘンな気持ちになりかかっている。

海岸は、さすがに家族連れとカップルの独壇場で、グループ客すらまばらだ。男ひとりで来てるヤツなどどこにもいない。レストランは満員で、ここも大行列。ただし、単身者は影も形もなし。となると、いくらかでも可能性があるのは、さっきの自由の女神像のあたりだろう。

そう思い、15分間目を離さずにチェックしていると、それらしき男が見つかった。おずおずと近づくぼく。が、隣に行ったところでまた迷ってしまった。

気持ちは高まっている。こいつでダメならしょうがないとまで思っている。

しかし、ぼくはすでに気づいていた。「誰でもいいから話したい」人間などいないということを。話したいのは自分に興味を持ってくれる人や、どこか自分と似ていると思える人なのだ。

そういう意味では、午前中のぼくは「なぜここにきたのか」ばかりに気が行って、ひとりでいるその人への関心が薄かったように思う。だから、余計にうさんくさく思われてしまったのだ。

男はずっと文庫本を広げている。熟読している気配はなく、むしろ本に目を落としながら考え事をしているようだ。周囲の様子はまったく気にせず、ときどき何かブツブツ言っている。表情はとことん冴えない。その姿は自由の女神像やフジテレビにまったく似合わないものだった。

「よかったら少し話しませんか」

考えたあげく、単刀直入に聞いてみた。男はゆっくりぼくの顔を見て、不審そうな顔をした。

「朝からずっとひとりなんで、誰かと話したいなと思ったんです。迷惑ならいいです」

「いいですよ。ぼくもひとりですから」

何秒か間を置いてOKが出た。が、その瞬間の男の顔をぼくは忘れない。照れ臭いような、まぶしいような、なんとも言えない表情をしたのだ。男の名はコバヤシ。29歳。製造関係の会社員だという。今日は午後からお台場をブラブラして、ここへは30分ほど前に来たそうだ。

「何か用事があったとか」

「いやいや、ただブラっとね、来てみただけです。北尾さんは？」

「ぼくはその、観覧車に乗ろうかと。待ち時間が長かったんであきらめたけど、はは」

「そうですか。連休ですもんね」

コバヤシはあまり突っ込んでこないので、会話は弾まない。さっきから、両隣のカップルがチラチラこっちを見ている。砂浜の方に場所を移そうか。いや、お台場の砂浜で男同士のツーショットはもっと気色悪い。とりあえず、このまま柵にもたれて話をしよう。

「コバヤシさんは独身ですか」

「はい。北尾さんは？」

「ぼくは結婚してます」

「結婚してるんですか。いいですねえ」

コバヤシは何か不気味なタメ息をつき、30秒ほど黙りこくったあとで言った。

「ぼくは去年、フラれました」

また10秒ほど沈黙する。

「男は出世ですかねえ」

唐突な呟きである。コバヤシは筋道立てて話さないから、何の話だか理解に苦しむ。

「出世しないから別れるって言われたんですか」

「いや、そういうわけじゃないんですが、ただ……やっぱり出世かなと思って。都知事選で石原慎太郎に入れたんですよ」

よくわからないコバヤシだったが、何かに悩んでいる気配はある。失恋、仕事の不調といった、ありがちなキーワードが浮かぶ。でも、それとお台場と何か関係があるとは思われなかった。

「コバヤシさん、こういうにぎやかなところが好きなんですか」

「好きじゃないですね。おもしろいかなと思ったんだけど。きっかけになればっていうか」

「きっかけというと、別れたカノジョのこととかですか」

「それは、ハハ。まあいろいろと。いまきっかけがないんで」

コバヤシは急に早口になって弱々しく笑った。

「じゃあ、私は帰ります。ありがとうございました。日焼けに気をつけたほうがいいですよ」

話して30分ほどたったろうか。コバヤシは、いきなり礼儀正しい社会人モードになり、スタスタと駅に向かい歩き始めた。さあこれからというところで去られてしまうのは残念だが、引き留める理由はない。

ぼくはなんだか疲れ果ててしまい、人工砂の浜に横になった。コバヤシがぼくに言いたかったことは何だろうと考えたけど、たぶん言いたいことなんかなかったように思う。それでも多少はスッキリした顔で帰っていったから、ぼくと話した時間は、まるっきりムダではなかったはずだ。

さあて、ぼくもそろそろ帰るとするか。ここにいても誰も話しかけてはくれないだろうから。

（裏モノJAPAN1999年7月号掲載）

☆

コバヤシと別れて「ゆりかもめ」で新橋まで戻ると、駅前にはこれからお台場に向かおうとするカップルや家族連れがひしめきあっていた。観察すると、やはりわずかながらポツン男たちが混じっていたが、もう話しかける気力はなかった。

見知らぬ人間とのコミュニケーションは、ぼくにとってとても興味のあることだ。でも、この東京では「たまたま隣り合った」程度のきっかけでは、同性とすら話すことがムズカシい。ほとんどの人がそんなことは望んでいないようだ。まして仲良くなるなんてとてもとても。

ぼくはその後も、クリスマスに暗い目をして町に出ている男にシンパシイを感じ積極的に話しかけてみたりしたが、そこでもまったく歓迎されなかった。学校、サークル、会社など組織のなかでは友だちになれたとしても、ひとりきりで新しい人間関係を築いていくことができるのは、かぎられた人でしかないだろう。最近では駅前の焼鳥屋ですら、ひとりで飲んでいる人間を見かけることは少なくなりつつある。

子供と遊びたいと思うのは犯罪なのだろうか

それは過剰反応ではないのか

近所の公園まで散歩に行き、ベンチで休んでいると、隣のベンチに5歳くらいの男児とその母親が腰かけた。天気も良く、子供はあたりを走り回ってはしゃぐ。こっちを意識しているのか、そばにやって来ては大声を出して逃げたりする。これくらいだと、まだあどけなくてかわいい。

断っておくが、ぼくはロリコンではない。下心も何もない、ごくフツーの子供好きである。

「どうした、幼稚園は休み？」

思わず声をかけると「もう行ってきたもん」と元気な答え。ところが、ここで母親から横槍が入った。

「ユウくん、こっち来なさい！」

せっかく会話が始まろうってときにそりゃないだろう。ま、ここは挨拶でもしておくか。

「ユウくん、いくつですか？」

しかし返事はない。困ったぼくは仕方なく、子供に向かって同じことを尋ねた。

「ユウくん、来なさいって言ってるでしょ！」

母親はとがめるように息子を呼ぶと席を立ち、ぼくと視線を合わせることを避けながら、そそくさと遠くのベンチに移動してしまった。そっけないなんてもんじゃない。完全無視である。

またか、と思う。こんなことがここ1、2年で10回以上はあったのだ。反応はいつも似たようなもの。知らない奴は誘拐犯人と思え、という態度である。

平日の昼間に公園で読書なんぞしている人は確かに少ない。世の中は物騒で、子供の誘拐から殺人まで、事件が後を絶たないから、我が子を危険な目に遭わせたくない気持ちもわかる。

しかし、たまたまそばにいた子供に声をかけただけでヒステリックな反応を示すってのは過剰反応ではないのか。そんなことでは、子持ちでないぼくなど、子供と触れあう機会すら失うことになる。母親がそばにいても犯罪者扱いなのだ。

そんなわけで、ぼくはすでに子供たちが遊んでいるところに遭遇し、何やってるんだろうなぁと思っても、近づくのを遠慮するようになっている。

たとえば公園で男の子たちが数人で鬼ごっこをやっているとする。本来ならぼくはそういうのが好きだから、声ぐらいはかけるし、できれば混ざって遊びたいクチ。そばにいながら黙って眺めているほうが、よっぽど気味悪いと感じてしまう。

だが、現実にはそれができない。ためらってしまう。まして、遊んでいるのが女の子たちだったりしたら、ベンチで一服したいと思っていても〝世間の目〟が気になって園内にすら入らない。いつの間にか、そんな習性が身に付いてしまった。

よく考えるとこれは異常なことだ。ぼくが子供のころなんか、遊んでいると話しかけてくるオトナなんかザラにいたし、遊びの輪に乱入してきて、野球をしていると頼みもしないのに熱血指導をするオヤジなんてのもいた。当時だってロリコンも変質者もいたはずだが、ぼくたち子供が親から言われていたのは「知らない人についていくな」であって「知らない人と話をするな」ではなかった。

が、いまは違う。親は神経ピリピリで、オトナたちも妙に気を遣って子供に接近しない。

う〜ん、ヘンな話である。ぼくはただ、子供と遊びたいだけなのだ。それの、どこがいけないのだ。

旅行や取材で海外に行ったとき、まず仲良くなるのは子供である。オトナ相手だとしゃべることが付き合いの基本になるけど、子供はそうではない。だから、英語が苦手なぼくは、たいてい子供と簡単なゲームをしたり腕相撲をしたりしてコミュニケーションを図ることにしている。不思議とそれで仲良くなれるし、手抜きなしで遊ぶと彼らも仲間に入れてくれるのだ。

少し前にインドの砂漠地帯に出かけたときもそうだった。電気もガスも水道もない村に8日間いたのだが、その村に外国人が滞在するのは初めてとあって、オトナたちは少々警戒気味だった。言葉はまったく通じないし、風習もわからないから、こっちもどうやって接近すればいいかわからない。

そのとき思ったのは、子供と遊ぶことだった。では何をするか。まずはこちらから遊びを提案しなければ始まらない。よし、相撲だ。砂の上に土俵を描き、彼らをブン投げながらカラダでルールを教えると、子供たちは目を輝かせて挑戦してくる。

「ディス・イズ・ウワテナゲ」

またブン投げる。

「ディス・イズ・ウッチャリ」

ガンガン技を教え込み、今度は行司役になって子供たちを戦わせ、2時間後にはめでたく仲間に入れてもらえた。そして翌日には彼らからインドの国技であるカバディを伝授され、毎日汗だくになってガキどもと取っ組み合っていた。

健全すぎるほど健全ではないか。なぜ、同じことを日本でやろうとすると犯罪者に見られてしまうのだろう。

きっと意識しすぎなんだよな。いつの頃からか、子供に気楽に声をかけることはマトモなオトナがすることではないとの風潮が生まれ、マスコミがそれを増幅したのだと思う。そしていつしか、ぼく自身もそんな常識に呑み込まれてしまっているのではないだろうか。

実際、子供好きを自認しているくせに、ぼくは（日本では）知らない子供たちのなかに入り込んで一緒に遊ぶことにチャレンジしたことがない。やればいいのだ。インドでできて日本でできないはずはない。仲良くなりたければ、思い切って子供たちの輪に飛び込めばいい。そうだよ、何をビビッてるんだ。過剰反応しているのは親だけってことも考えられるではないか……。

なぜキミたちは逃げるんだ

いざ子供を探しに外に出て驚いた。近所の公園をくまなくまわっても、影も形もないのである。肌寒いし無理もないとは思うが、自分がガキの頃は冬だろうとかまわず外で遊んでいただけに一抹の寂しさを感じてしまう。

探し始めて3日目、ようやく小さな公園で男女6人のグループを発見した。小学校低学年だろう、みんなでゲームをしているわけではないものの、和気あいあいの雰囲気である。親の姿はなく、女の子が混じっていても男が多いから大丈夫と判断。ベンチで一服しながら観察することにした。どうやら地面に絵を描いて遊んでいるようだ。絵なんてしばらく描いていないし、地面に描くのも楽しそうで、やってみたい。

2本目のタバコに火を点《つ》け、接近法を考える。かつてよくいた子供好きのオヤジなら「何やってんだ」から入り「どれ、オジサンにも描かせてみろ」と割り込んでいきそうだ。でも、いまどきそんな強引な方法では嫌われてしまうかもしれない。ここは正攻法で「何描いてるの」で入り「うまいじゃないか」とか「キリン？　似てないなあ」とつなぐのが無難か。そしてスキあらば「よし、オジサンが似顔絵を描いてやるよ」と突っ込む。悪くないプランだ。

立ち上がってゆっくりと子供に近づく。なかのひとりと目があったので、できるだけ柔和な笑顔を作り3メートルに接近。ここまで来て何も言わないと恐れられるので思い切って声を出す。

「お、絵を描いてるのか」

よし、自然な感じで言えた。あとは彼らのリアクションに応じてなんとか。そう思ったときだ。子供らがいっせいに立ち上がり、ぼくをニラむではないか。

「あ、続けてていいんだよ。どんな絵か見たかっただけだから」

シーン。

「えーと、これは何だ。誰かの顔かな？」

子供たちがジリジリとぼくから離れ始める。そして、リーダーっぽい少年が走り出すと、全員がクモの子を散らすように後を追い、ぼくは公園に取り残されてしまった。

なんだ、このエゲツない反応は。いったい、ぼくが何をしたというのだ。なぜ逃げる。なぜしゃべらない。これなら「この人ヘンだよ」とでも言われたほうがマシ。ぼくの辞書に「黙って逃げる」は入ってなかった。

振り向くと商店街のおばさんが、怪訝《けげん》な顔でこっちを見ていた。遠目にはどう見ても、だらしない格好のオトナが無垢《むく》な子供に何かイケナイことをしたみたいである。

違う、違うんだ。ぼくは心のなかで呟きながら、敗北感に包まれて家に戻った。

絶望的な無反応。想像以上にキビシイ結果だが、このままでは引き下がれん。敗因は、女の子がいたこと、そしてこっちに選択の余地がなく、内気な子供たちに声をかけてしまったためかもしれない。座っていたベンチから、理由もなく近づいたのもまずかっただろう。

数日後、地元を離れ、少し大きめの公園に足を延ばしてみた。パラパラとではあるが複数のグループがいる。親子連れの姿もある。ここならば、ぼくの存在が極端に浮くこともないはずだ。

サッカーボールでも蹴っていてくれたらと思っていたが、球技をしているグループはない。わずかにラジコン組が目を引く程度で、あとは単にダべっているのが多い。

昔だったら定番の遊びは野球かサッカー、ドッジボールだった。でも、そんな元気のいいのはいやしない。いたとしても、空き地がないから、設備の整った学校のグラウンドかどこかでゲームをしたり。ちょいと運動神経のいいガキはリトルリーグやサッカーチームに入り〝遊び〟じゃなくて〝トレーニング〟に精を出していたりするんだろう。

どのグループに近寄るか慎重に考え、男子4人組に狙いを絞る。けっこう元気に走り回り、陽気な感じだったからだ。

ぼくは彼らから10メートルほど離れたところでコートを脱ぎ、屈伸運動を開始した。続いて軽いランニングもこなす。最初から子供目当てではなく、あくまで目的はカラダを動かすこと。その流れで子供たちと触れあう演出をしなければ。昔のように、子供と遊ぶためだけにやってくるオトナが絶滅しているいま、当時と同じアプローチでは失敗するのが目に見えている。

ところが、今回はなかなか声が出ない。どうも弱気になっている。いかんなあ。とりあえず元気な声を響かせて、変質者ではないことをアピールするか。

「ヨッ、セッ」

その場跳びで気合いを入れてみた。さらにモモ上げ。

「ハッハッ」

これは自然に声が出る。いいぞ、この調子で陽気に行こう。子供たちがこっちを見た瞬間に、ぼくは呼びかけた。

「どうだ、一緒に走るか」

一連の動作とつながりを持つ、なかなかのセリフだと思う。走らなくてもかまわん。会話の糸口になればいい。

ダメだった。わずかに、ひとりが首を振っただけ。あとはすぐに横を向いてしまった。そして、次のセリフを口にする間もなく、4人は後ずさりするように、離れていったのである。

やはり通じなかったか……。落胆しながら、そんな素振りを見せたくなくてアキレス腱を伸ばしたりしている自分が情けない。

清潔な服装といい、快活な行動といい、自分でいうのは何だが、今日のぼくはどう見ても犯罪者には思われないはずだ。だいいち、周囲にはべつのオトナもいて犯罪どころではない。なのに、子供たちは去っていった。信じられん。

「知らない人とは話をするな」という教育は、ここまで徹底しているのだ。

三角ベースのガキどもをついに発見！

思い切って子供の輪に飛び込んで、彼らと交流する。やりたいことはそれだけなのに、子供たちを見つけるだけで一苦労だし、ようやく発見しても無視され、さっぱりうまくいかない。あきらめたほうがいいのか。

そう思っていると、千葉に住んでいる担当オガタが「うちのほうなら公園も多いし、子供も遊んでるぞ」と言う。都心の子供はすっかり親に洗脳されているが、郊外ならそんなこともないかもしれない。一縷《いちる》の望みをかけて、千葉に行ってみることにした。

オガタ家があるのは典型的な新興住宅地。子供の数も多く、子供が集まりそうな店もないから、表で遊ぶとなれば公園がメインである。現在、午後1時半。空は重たく、いつ降り出してもおかしくない雲行きだ。急がねば。

クルマで流しつつ子供を探すが、どこにもいない。天気のせいだろうか。どこかの家に集まってプレステでもやっているのか。

あきらめムードが漂ってきたそのときだ。広めの公園を覗くと、信じられない光景が飛び込んできた。10人ほどの子供が野球をしていたのだ。しかも、懐かしの三角ベース！　いまどき、三角ベースで遊ぶ子供たちがいたとは。これはもう、ほとんど30年前と変わらない。都会の公園事情、これまでの展開を考えれば奇跡といってもいい。まさに千載一遇のチャンスである。

しかし、アセリは禁物だ。雰囲気は昔のままといっても、やっているのはいまどきの少年である。喜んで近づいたら無言で拒絶される確率は高いだろう。

かなり離れた場所にあるベンチに座り、観察開始。たまたま立ち寄った公園で野球見物している風を装う。

どうやら5人対5人で試合をしているらしい。年齢は10歳前後。小学校4年か5年と思われる。使っているのはテニスボールだ。みんなヘタクソで、打てばヒットという感じ。いやー、見てられん。基本ができてないんだよな。こう、もうちょっと腰を入れてスイングするんだよ。ピッチャーもランナー気にしすぎ。余計な牽制なんかする必要なし。あとキャッチャー。もっと大きく構えて投げやすくしてあげなきゃ。

インド以来、久々に子供らとガチンコ勝負できるかもと思うと、気分が高まってきた。これだけ状況が揃っていてダメなら、どこへいったってダメ。もう二度と子供に声をかける気力など湧いてこないに違いない。

〈ラストチャンス！〉

ぼくは自らを鼓舞し、ベンチを立った。どうすればいいのかアイデアもないまま、センター位置に立つ。三角ベースでは外野が手薄なのだ。

しかし、なかなかボールがやってこない。不気味に映ると警戒されそうだから、守備に参加する意志を示すべく、ヒザに手を当てて外野手の構えをしてみた。

そのまま5分経過。んもう、ちょっとは打てよとジリジリしていると、ようやくセンター前にヒット性の当たり。しかし、ボールを追っていいものか迷っている間に、内野手が捕ってしまった。しかも、セカンドランナーが「あの人、何？」などと言っている。いかん。ぼくはやる気を示すため反射的に大声を出した。

「さあセンター守ってるよ。どんとデカイの打ってみよう！」

シーン。反応なし。が、ここで引いたらおしまいだ。

「声出して行こう！　外野バッチリだよ。さあさあさあ」

叫んでいるとバッターがフライを打った。よし、もらった。かつて三角ベース少年だった実力を見せてやる。

「アウトォ！」

自分で捕って自分で叫んでいるのはやや虚《むな》しいが、気にしちゃいられない。

「ズルイよ、いまのノーカウントだからね」

攻撃チームのひとりが抗議する。

「そうか、悪かった悪かった。おじさん野球好きだからさ」

うははは、やった。初めて会話らしきものが成立したぞ。

どっちが勝っているのか聞くと、攻撃チームの7対3だという。

「じゃあ、守備だけでもやらせてくんないかな、いいだろ」

ここが難関と思ったが、協議の結果、OKがでた。子供たちにとっても、ボールを追いかけなくて済むならいいか、ということだろう。こんなことは、ぼくが子供のときにもよくあった。なんかよくわからないオトナだけど、やりたいんならやらせておこうって感じ。うん、同じだ。

ただ、センターやっててもボールがこないからイマイチおもしろくないんだよね。やはり参加したからにはチームの一員として活躍したい。

こういうとき、昔のオトナはどうしたか。そうだ、子供たちの苦手なポジションを買って出るのだ。それはずばり、キャッチャー。キャッチャーがヘボだと後逸が多くてテンポがのろい。

「おじさんがキャッチャーと審判やってやろう」

チェンジになったとき提案すると、案の定受け入れられた。甘いな坊主ども。キャッチャーこそ守備のカナメなのだよ。グローブを貸しなさい、くはは。

「それピッチャー、ストライク入れろよ、ここだよここ」

ばんばんグローブを叩きながら声が止まらない。数十年ぶりの野球とはいえ、この低レベルなら上級者。試合もしまるってもんだ。

目標が大きい分、ピッチャーも投げやすいわけで、ストライクが先行するようになった。

「よっしゃ、しまっていこうぜ」

「おじさん、うるさいよ」

「バカ言うな。野球は声をかけあってやるもんだ。元気だせ」

チェンジになったとき、いったんは譲って審判だけになったが、キャッチングの差が歴然とあって、再び任されることに。なんか、両チーム掛け持ちのキャッチャーになってしまったけれど、正ポジション獲得の喜びがこみあげてくる。

子供たちも「コイツは使える」と思ったのだろう、なんとなく愛想が良くなってきた。

ピンチヒッター北尾、全力スイングでヒット

「雨がひどくなってきたけど、まだやんの？」

チームでもっとも小柄な少年が、さっきから降り始めた雨を気にしている。

「大丈夫、負けてんだから雨なんか気にしない！」

せかして守備につかせると試合が再開された。あぶないところだ。試合終了になっては打席に立てないではないか。ピッチャーはともかく、ここまできたらバットを振らずに帰れるものか。

雨で服が濡れ、パンツに泥をつけた小学生たちは、なんだかんだ言いながら10対5のダブルスコアにもめげず試合を続行。なかなか連打できない負けチームに久しぶりのチャンスが訪れた。1アウト満塁である。ここで無得点だと志気が下がり、ゲームセットにもなりかねない。

何とか野球に参加し、外野の球拾いからキャッチャーまでやっとの思いで出世できた。しかし、それはあくまで守備専門の便利屋としての役割に過ぎず、〝チームメイト〟としての参加とはいいがたい。その点、バッターとなると完全なる参加である。

これが許されれば本望だが、あっさり断られる可能性も十分。それはショックに違いなく、せっかく少し溶け込んだものが台無しになる。でも、ここは勝負だ。

「ピンチヒッターだ！」

転がっていたバットを手に打席にはいると、守備側からブーイング。やはりキツかったか。

「まあいいや、一回だけだよ」

おお、ラッキー。こいつら、愛想はないけどいい奴等だ。が、手加減はしないぜ。

3球目を打った。全力疾走で三塁セーフ。次の打者のヒットでホームイン！

再びキャッチャーに戻ったぼくに、子供が質問してきた。

「なんであんなに飛ぶの？」

これと同じ言葉を、昔ぼくはオトナに聞いたことがある。そのときの答は「練習したら、あれぐらいすぐ打てるようになるからがんばれ」だった。だから、ぼくも同じことを言った。

「じゃあ、おじさんはそろそろ行くわ」

グローブを渡して引き上げると、子供たちはぼくのことなど忘れたようにゲームを続けていた。彼らにとってぼくと遊んだことなど、なんてことない出来事なのだ。子供ってそんなもん。いつだっていまが大事なんだよな。ぼくは今日の三角ベース野球を一生忘れないだろうけど。

2時間かけて都心に戻ると雨は上がっていた。近所の公園には誰一人おらず、遊んだ形跡すら残っていなかった。


（裏モノJAPAN2000年5月号掲載）

☆

ヘボ野球、三角ベース、両チーム間の実力差。三拍子揃っていたうえに、千葉までやってきてだめなら、もう後がないという緊張感も加わり、いつになくアグレッシブな行動を取ることができた。やったことを冷静に振り返ればたいした勇気を発揮したわけでもないが、二度と訪れそうもない、子供たちとの至福の時間を過ごすことができ満足である。

それにひきかえ都内では失敗の連続。どうにもできないイラダチを覚えた。相変わらず子供は好きだが、このとき以来、ひとりでいるときは声をかけることなど皆無。不愉快な気分を味わいたくない思いが先に立っている。

第二章　そのひと言がなぜ言えない

電車でマナーを守らぬ乗客を叱り飛ばす

ひと言も反論できない

他人に迷惑をかけているのに知らん顔を決め込むマナーの悪い乗客には誰でも頭にきた経験があるだろう。携帯電話で大声でしゃべったり、混んだ車内で足を投げだしたり、イヤホンから耳障りなシャカシャカ音を撒《ま》き散らしていたりするアレだ。子供が泣いたりわめいたり走り回ったりするのを止めることもしない無責任な親も不快指数が高い。

だが、現実には周辺の人間すべてが不快に感じていたとしても、それをハッキリ口にだして注意する人はめったにいない。

ぼくだってそうだ。ハラワタが煮えくり返っているのに、下手に注意して相手がキレたらイヤだとか、そんなことくらいで怒るのも大人げないと考えてジッと我慢の子。面と向かって注意する勇気がなく、ときには現実に目を背け隣の車両に移動する、ていたらくである。

うるさいものをうるさいと注意し、常識に欠ける行為をたしなめる。なーに、たいしたことじゃない。やったことがないから、やり方がよくわからないだけって感じがする。それならば一度ビシッと叱ってやらねばならん。いや、叱ってやるのだ。

山手線に乗り、油断なく車内をチェック。脈のありそうな乗客に接近し、チャンスを窺《うかが》う。いつもなら空席を探して居眠り態勢に入るか雑誌でも読むところだが、今日のオイラは目的を持つ男。全身のアンテナがピクピクしてるぜ。

しかし、絵に描いたような迷惑客はなかなかいないのである。これまで経験した不快な体験の数々が記憶にあるため、注意すべき状況なんかすぐぶつかると想像していたのだが、マナーのいい客ばかりなのだ。

そりゃ、なかには携帯電話をかけている客もいるけど、そういう人は小声で申し訳なさそうに話していたりして、むしろ好感を抱いてしまうほど。うっすら漏れる程度のシャカシャカ音など腹も立たないし、ボリュームを上げて聞いていそうなヤツはしっかりヘッドフォンをつけている。学校帰りの中高生の会話はにぎやかでうるさいと言えばそうだが、十分に許容範囲だ。

だいたい、ぼくは温厚なほうで、不快だと思ってもある程度までは耐えるタイプ。本気で怒るほど不愉快なときは、他の人もきっと似たような気分になっていると思う。そんな、乗客が耐えに耐えているときに勇気を出して注意をすれば、みんなが心の中で拍手してくれるんじゃないかというのがぼくの狙いなのである。

あんな男でも言うときには言うんだな、とみんなは思う。あいつに言えるのならオレだって、と明日への力が湧いてくる。くぅ、たまらんなあ。

でも注意する相手がいないんじゃ話にならない。いったいどうしたというのだ。ぼくの知らない間に、日本人のモラルが急によくなったのか。こっちは基本的に気が弱いんだから、盛り上がったときにサッと登場してくれなきゃ二の足踏みかねないんだよ。

迷惑客を探す日々が始まった。車に乗らず移動はすべて電車。それも、なるべく混雑しそうな時間帯、路線を選ぶ。新宿に行くならゆったり座れる総武線じゃなく中央線。買い物するならなんとなくワイルドそうな池袋。

でも会えない。タフな悪役はどこにもいない。車内ウォッチングを開始して半月が過ぎるころには、ぼくの気持ちはすっかり萎《な》えてしまった。

ビシッと注意することなど忘れかけたある土曜、ぼくは東京競馬場の指定席にあるレストランで、ある馬券生活者へのインタビューをしていた。話が一段落したら撮影だ。あいにく外は雨なので、ここで撮ってしまおう。許可はとってないけど窓際の席だし、フラッシュを使うといっても天井にバウンズさせるから問題ないだろう。パシャパシャパシャパシャ。ポーズを変えてもう少し。的中馬券なんかも押さえておこう。マナー違反と知りつつ、ついそうなった。

が、カメラマンの指示で順調に作業は進み、あと数枚で終わるというとき異変が起きた。隣のテーブルにいた初老の紳士が、競馬新聞から目をあげて言ったのだ。

「キミたち、いい加減にしなさい。常識を疑われるよ。フラッシュはやめなさい！」

声を荒げることもなくズバリと切り込んできた紳士であった。おそらくこの人は撮影開始から不快だったが、すぐ終わるならガマンしようといったん気持ちを静めたに違いない。

ところが撮影は長引いた。店の者も他の客も注意する気配もない。このまま放置すれば、こいつらはまたやるだろう。そこでビシッと注意したのだ。

我々はひと言も反論できなかった。悪いのは我々のほうで、紳士にはいっさい非がない。この警告を無視すれば、店にいる全員を敵にまわすことになる。しかも、紳士の口調は怒鳴るのではなく、社会のルールが守れない我々を軽べつするようなクールな響きがある。

オトナの雰囲気といえばいいだろうか。こういうふうに注意されたら、感情的になる前に自分が恥ずかしくなってしまう。

おとなしくなった我々の様子を見て、他の客も「ざまみろ」という表情。紳士はみんなの心もつかんでしまった。つまり、ぼくは自分がやりたいことを、そっくりそのまま紳士にやられてしまったわけだ。

反省した。そして明日からまた電車に乗りまくろうと思った。紳士よ、あなたの注意を北尾はガッチリ受け止め、迷惑客撃退に活かしてみせます！

泣く子と女にゃ勝てぬ

漫然と電車に乗っても迷惑客に遭遇する確率は低い。そこで、端の席を集中的に攻めることにした。ターゲットは車両を移動するときに連結器のドアを開けっ放しにする輩《やから》。ぼくはあの辺りに座ることが多く、しょっちゅう開けっ放しのドアを自分で閉めるハメになるため、一度でいいから開け放したヤツを呼び止めて閉めさせたいと思っていたからだ。

意識を集中して連結器を見つめていると、けっこう腹立たしい連中がいる。多いのはバーンとすごい勢いでドアを閉めるヤツ。で、まずは練習を兼ねてこれを注意しようと思ったんだけど難点がある。「静かに閉めてくれ」と言おうにも、相手は次の車両に行った後だから、ヘタすりゃ聞こえないのだ。

開けっ放しはどうか。これは絶対に腹が立つと信じていたが、じつは悪マナーへの怒りは半分で、残りはそこから吹き込んでくる寒風があるからだと判明。基本的に冬場の怒りアイテムなのである。加えて最近の電車は何か調整しているのか、マナー違反者に優しい構造のものがある。開けっ放しオヤジを呼び止めようと座席から身を乗り出すと、ドアがスルスルと自力で戻ってくるんだもんな。危ないとこだったよ。

いずれにしろ秋口の今、連結器絡みで心からムカつくことはない。だが、ぼくは一日も早く度胸試しをしたいとアセっていた。

そんな気分で私鉄に乗っていたとき、ハシャギながらやってきたのが私立の小学生とおぼしき3人の女の子。学校帰りなのか、紺色の制服姿で乗客の間をスリ抜け、鬼ごっこみたいなことをしている。そして彼女たちは荒っぽくドアを開けたまま、先の車両に進んでいこうとした。

怒るほどでもないけれど、他人の子供をあえて叱るオトナがいなくなったと嘆かれる昨今、ここは北尾がオトナの手本を示そう。

「ドアはちゃんと閉めないとダメだよ」

思い切って呼びかけるように言うと、一番後ろにいた子の足が止まり、驚いたようにこっちを振り向く。おびえたような表情だ。同時に先の車両にいた人びとがぼくを見つめた。あれ、どうしたんだ。ぼくとしては女の子が「ごめんなさい」などと言ってドアを閉め直し一件落着のつもりだったのに。

「ドアは開けたら閉めようね」

今度は笑顔で優しく言ってみた。するとどうだ。女の子は声を上げて泣きだしてしまったのだ。たちまち乗客から浴びせられる冷たい視線。まるで子供に難クセをつける危ないオトナ扱いではないか。クソガキめ。なんでこれしきのことで泣くんだよ。ぼくは周囲の視線に耐えられず、つぎの駅で電車を降りた。完全に失敗だ。親子ならともかく、もう子供はやめよう。

子供の件でかなりダメージを負ったぼくが、つぎに出会ったのは、電車を降りた夜の9時頃、駅を出たところで遭遇したカップルだった。男は必死の形相で女にセマり、女は男の問いかけに何度も首を振り、泣いている。

どう見ても別れ話かモメごとの最中。これがまた長くて、ぼくが用を足して戻ってきてもまだやっている。ヒマでもあるし、5メートルほど離れた植え込みのところに座り観察態勢に入った。

年齢は20代後半だろうか。男は茶系のジャケット姿、女はブルーの上下だからビジネスマンとOLのカップルというところか。

男はさっきより感情が昂《たか》ぶっているようだ。女の肩をつかんで押したり引いたり、抱きすくめようとしたりしている。女はそれが本当にイヤそうで、身をよじって抵抗し、男を押し戻す。そんなことが5分、10分と続いた。

ま、それはどうでもいいとして、気になるのは女がしきりにこっちを見ていること。男はぼくを背にしているから気付いていないが、女はぼくがずっとその場にいるのを知っているのである。

またこっちを見た。明らかに女は困っている。これはSOSではないのか、この男は昔つきあっていた相手で、いまもしつこくつきまとっているのかもしれない。

ストーカーはおおげさだとしても、それに近いものがあるかもしれない。逃げれば追いかけてくるから、女もここを立ち去れないのだ。だから救って欲しい。だからぼくを何度も見る。なぜなら、しつこい男に注意できるのは、この場でぼくしかいないから。駅から出てくる人びとは、ふたりのことなどチラっと見るだけだから。

そうまで見つめられちゃあな。ぼくは立ち上がり、ふたりのところへ行って男に声を掛けた。

「この人、嫌がってるじゃない。いい加減にしなさいよ」

できるだけクールに、抑えた口調。競馬場紳士の教え、その1だ。

「あなた誰なんですか、関係ないでしょう」

男は一瞬だけぼくを見ると吐き捨てるように言って、視線を女に戻した。む、ぼくなどいないものとしてふたりの世界に復帰する気だな。少しはうろたえるとかバツが悪そうな顔をするとか、そういうリアクションがあってもいいんじゃないかい。

女はうつむいたきりだ。

「彼女、泣いてるじゃないか」

競馬場紳士の教え、その2、軽蔑を込めてオトナらしく。これは効果があるはず。

「ぼくたちの問題ですから」

あら、軽く言い返されてしまった。さっきまでアツくなっていたのにこの男、ぼくとの会話は妙に冷静だ。

「あなたどなたですか。ぼくたちの事情について詳しいわけですか」

「もちろん詳しくはないけど、道端で女性が泣いていれば何か困ったことがあるのかと思うのが自然でしょう」

「それはあなたが勝手に思うことでしょう」

そのとき、沈黙を保っていた女が顔をあげた。そうそう、そうこなくちゃな。さあ、ハッキリこいつを拒絶してくれ。

「あの……もういいんです」

おいおい、いいんですってどういう意味。じゃあ、救いを求めるあの視線は何だったのだ。

ひょっとして、ぼくの妄想。おかしいのはこの男じゃなくてぼくなのか。

「わかりました。じゃ、行くよ」

ラストチャンスだぞ。ぼくが消えたらまた、さっきの続編だぞ。

だが、振り向いて歩きだすぼくに声はかからなかった。またしても大失敗だ。

マナー最悪のロンゲ男

予想よりずっとマナーがいいため注意すべき相手が見つからず、ようやく見つけて注意すれば裏目に出る。いいとこなしのぼくだったが、勝負と呼ぶにふさわしい山場はいきなり訪れた。

ある日の夜8時前、東京駅から中央線に乗ったところ、御茶ノ水で乗り込んできた男3人組が、ぼくの前に立った。格好はヒザ丈のパンツにブーツ、トレーナーといったいでたち、3人のうちふたりは染めた長髪で、ひとりはショートヘア。いわゆるイマドキ風の野郎たちである。

年齢は20代前半だろう。乗ってきたときからペチャクチャしゃべりっぱなしで、声がでかいもんだからうるさくてしょうがない。話の内容も友だちや女のうわさ話で、まるでおもしろくないし、くだらないギャグにいちいち笑い転げるのも不愉快だ。睡眠不足だったぼくは御茶ノ水まで熟睡していたのだが、3人組が乗ってきてからは眠るに眠れなくなってしまった。

だけど、このときはあきらめていた、相手は3人だし、注意したって素直に謝りそうにも見えない。それに、すぐそばにいるから余計にうるさく感じるだけで、離れた人にとってはたいして気にならない存在かもしれない。

いや、離れてなくても両隣の人は淡々と景色を眺めているではないか。彼らに対する怒りがなければ共感など得られないわけで、ぼくの狙いとはズレてしまう。

それに、ヘタに騒いでトラブルになるのはゴメンだ。ここはおとなしく寝たフリでもしていよう。どうせ長くは乗ってないだろう。だったら無理することはない。ぼくは素早くそんなことを考え、目をつぶった。

「空いたじゃん。座れば」

「わりーな。んじゃ」

ドシンと音を響かせて左隣に腰掛けたのは、3人の中でもっとも長身のロンゲ男。四ツ谷で隣が降り、そこに座ったのだ。

このロンゲがマナー最悪だった。座ると同時に長い足を組んだのだが、左足を右足の腿《もも》に乗せるような組み方なので、ブーツの裏側がモロにぼくのほうを向くのだ。カカトなど、ほとんどぼくのジーンズに触れており、揺れるたびに生地をこする感じになっている。ひどいもんだ。

かなりムカついたが、ぼくは下半身を右寄りにして靴底攻撃をかわし、被害を最小限に食い止めていた。3人が渋谷の話をしていたため、つぎの新宿で乗り換えるものと思い込んでもいた。

間もなく新宿駅というあたりでロンゲの携帯が鳴る。

「もしもしィ。え、誰？　おうおうおう、おーうおーうおうおう。なんだいまどこにいんの？　え、渋谷、渋谷のどこ。おうおうおう、いいとこいんじゃん。女といんの」

これがロンゲの長電話の始まりである。3人で話していたときでもうるさかった声が、倍のでかさになった。ぼくの右隣のオヤジもさすがにムッとした表情だ。さらに通路に立っているオバサンがしかめ面《つら》をしたのも目撃。周囲の空気が平穏なものからイライラした雰囲気に変化しだしたことが伝わってくる。

3人組が新宿で降りなかったため、ぼくの腹立ちはいっそう強くなった。新宿駅を出るとき、ロンゲのブーツが思いきり足に当たったので、少し押し返したのだが、ロンゲは脚を下ろすこともなく、すぐまたガツッと当ててきたのだ。

電話は相変わらず大声。内容は何もない。用件がないからだ。時間つぶしで話を延ばしているだけなのだ。それがわかって、ますます怒りが湧いてきた。コイツら、自分たちが騒音を撒き散らしていることがわかっているのか……。

うるさくて迷惑だ！　脚も下ろせ！

やつらは何もわかっちゃいなかった。もうひとりのロンゲ（ロンゲ2）が、新宿から自分の携帯を掛けだしたのである。こいつの声もでかい。短毛はもちろんたしなめたりしないし、一緒になって笑っているだけだ。ふたりが携帯使用中になってからは口笛を吹きだした。3人組が騒げば騒ぐほど他の人は黙り込んでしまっている。

はっきりわかる。みんなが怒っていることが。

そんな彼らに一番近い位置にいるのがぼくなのである。注意するのにこれほど適した人間はいない。まさしく最高の条件。ここで黙らせることができたら、みんなに喜んでもらえるはずだ。

だが、果たしてぼくにそんな芸当ができるのか。

3人組をはっきり注意の対象として意識したのは新宿駅だったが、それからわずか1、2

分しかたっていないのに、すでにカラダはカッカ、喉はカラカラ。心臓はドキドキし、手の平は汗まみれになっている。ぼくはこういうことに向いていないのだ。やっぱり、やめとくか。いや、でも注意せねば、落ち着け。クールになればできる！

お、ロンゲが電話を切った。言うなら今だ。「間もなく中野に到着いたします」とアナウンスが始まった。ここで降りられたらおしまいだ。

またブーツが脚を直撃。何事もないように髪をかき上げるロンゲ。その向こうで大笑いしている短毛。

「いい加減にしろ、うるさくて迷惑だ！　脚も下ろせ」

ぼくはロンゲのブーツを手で押しながら注意した。自分としては控えめな調子で言ったつもりだが、乗客が一斉にこっちを見たから、けっこう上ずった声だったのだろう。ロンゲは反射的に脚は下ろしたが、仲間がいるせいかまだ余裕の表情だ。

「なーによ？」ときた。

「大声で電話すりゃうるさいって常識でわかるだろう」

ロンゲ2は電話を切り、何が始まったかと様子を窺っている。

「いいじゃん、電話くらい」

「よくないよ。電話切っただけでこれだけ静かになるんだからさ」

ロンゲは「だったら最初に言えばいいじゃねーかよ」と不満そうだが、ここで短毛がまぁまぁと間に入る感じで「けっこううるさかったかもなー」と言い、会話は途切れた。向こうが突っ掛かってこないなら、これ以上彼らと話をする必要はない。

ということは、これで注意終了である。なんとか目的は達したのだと思うと、どっと安堵《あんど》感がやってくる。ともかくよかった、大きなトラブルにならずホッとした。

困ったのは注意した後、ぼくがどういう態度でいればいいかだ。本当は堂々と前を向いていたいのだが、気恥ずかしいのとこれ以上3人と話したくないのとで、ぼくは腕を組み目を閉じた。

3人組はまだ話をしている。席を立つ気配はない。目的地までまだ4駅あると思うとげっそりする。ここはいったん降りて、気分を換えてのんびり帰ろう。そうだ、そうしよう。そっと席を立ちドアのそばへ。やがて電車はホームに滑り込み、ドアが開いた。

そのときだ。後ろからドンと背中を突かれたぼくは、バランスを失ったままホームに押しだされて四つんばいになってしまった。

「オヤジどうしたの〜、ははは」

くそ、ロンゲのしわざだ。またムカついたが、ぼくはそのままの姿勢ではいつくばり、3人組がケラケラ笑いながら階段へと向かうのを確認してから中腰の体勢になり、もう攻撃してこないのを確認した。くやしいけど、怖い。

しかし、全力を注いで彼らに注意したことは乗客のみんなが知っている。心のなかで送ってくれた拍手。つかの間のヒーローだとしても、それで十分じゃないか。

あ、だとすると突き倒されるところもバッチリ見られたってことか。いやーそれはカッコ悪かったかも。さっさと立ち上がんないと心配かけちゃうな……。

ざっとこんなことを数秒間で考えて、ぼくは車内を振り返ったんだが、そこにあったのはまったく予想外の光景だった。

カップルがこっちを見てニタニタ笑っているのだ。その他の乗客にも、心配そうな顔などひとつもない。さっきの出来事など済んでしまったこと。なんかカッコつけて注意したやつがいたけど、やられちゃったね。そんな感じだ。

みんなの頭にあるのはまだ食べてない晩飯であり、楽しみにしてる連ドラのことなんだろう。

信じられない。ショックのあまり、視線が宙をさまよってしまったよ。必死の注意はいったい何だったたっていうのか。く。注意なんてしなきゃよかった……。

家路を急ぐ人びとを乗せた電車が、立ち尽くすぼくを置き去りにして動きだした。


（裏モノJAPAN1999年2月号掲載）

☆

ここで試したのはわかりやすい勇気だが、こんな小さなことさえ、いざ実行に移すとなると躊躇してしまい、「いつまでも続くわけじゃないから」「どうせいずれ降りるだろう」と見過ごしがち。しかし、声を出して叱らないまでも、あからさまな不快感を顔に出すことはオトナの責任のような気がする。ボクはその後、電車内の化粧女に「みっともないよ」と言うことにも成功。このジャンルでは、以前に比べて抵抗感が少なくなっていることを実感した。その源がこのときの経験である。

だが、読んでもらえればわかるように、その気持ちを共有することはムズカシい。車外に突き出されたぼくを笑った人たちが何を考えているのかわからないが、マナー違反の乗客より、ひょっとしたらこっちのほうがタチが悪いような気がする。

激マズ蕎麦屋で味の悪さを指摘する

これを食える人間がいるのだろうか

そば、鮨《すし》、カレー。ぼくの三大好物である。鮨は日常食とはいえないから、そば、カレー、クッパでもいい。オムライスもよく食べるし、冬は鍋がグンと主役の座に……そんなことはいい。カンジンなのは好物ナンバーワンがそばだということだ。

こんなふうに書くと、いわゆるそば通と誤解されるかもしれないが、それはまったくない。美食への欲求は弱く、料理の作り甲斐がないと妻に嘆かれている北尾だ。

うまいに越したことはないけど、気取ったオヤジがやってる〝こだわりの店〟などは苦手。べつに立ち食いそばでもいい。つまりぼくは基本的に、そばであれば多少のことは気にせず笑顔で食べている人間だと、まずそこんとこを理解してほしい。

家から駅に向かう途中にある、何の変哲もない店。今回は、一軒のそば屋が舞台の、小さな勇気の話なのだ。

98年末、現在の住居に引っ越して数日後のことである。朝からもとの住居の掃除に行き、午後は新居でダンボールの開封やら家具の移動などヘトヘトになるまで働いたぼくと妻は、晩飯を食べるために外出した。ふたりとも腹ペコだし、寒くてしょうがないので、何か温かいものをということで意見は一致している。

と、午後9時にもかかわらず、そば屋が営業しているではないか。しかも、ショーウインドウを見ると、鴨南蛮がある。

言い忘れたが、鴨もぼくの好物のひとつ。そばの場合はせいろを一番よく食べるけど、冬場は鴨南蛮がド〜ンとクローズアップされてくる。でも鴨南蛮はどこのそば屋にもあるとは限らない。老舗《しにせ》はともかく、町のそば屋だったら半々くらいだと思う。だから、その店に入ったことはなかったけれど、そばと鴨とでぼくの心は「ここしかない」と高まってしまったのだ。

店内には客がおらずガランとしていたが、メニューを見るとなかなか豊富で、セットメニューが充実している。値段も安い。鴨が食べられるセットを探すと、鴨丼セットというのがあった。

よーしよし、これにしよう。麺のほうはアツアツのそば。これで空腹も満たされ、カラダも温まるというもんだ。

熱かんを1本飲み終わるころ、食事がやって来た。おっと、すごいボリューム。丼には米粒が見えないほどたっぷりと鴨がのっている。くぅ、たまらんのお。ぼくは大急ぎでワリバシを割って鴨丼に突き立て、力任せにメシごとすくい上げて口に放り込んだ。

「％＆♯＄＊！！」

か、辛い、メチャ辛い。なんだこりゃ、鴨の味どころじゃないよ。ここはいったん退避だ。そばのつゆで口を清めて出直しだ。

「ゴ、ゴホッゴホッ」

勢いよく飲んだつゆのあまりの辛さに、ぼくは思わずムセかえってしまった。なんと表現すればいいのだろう。大量の塩をブチ込んだ醤油を煮詰めたような味である。

塩辛い汁というのはある。醤油が濃いなあっていう味もある。しかし、ここのはそんな生《なま》易《やさ》しいものではない。異常なマズさであり、これを食べられる人間はいるのかという絶望的なレベルである。汁をあきらめ、麺だけを食べようとしても、辛くてとても喉を通らないのだ。せめて白飯をと思っても、たっぷりかかったタレで底までドロドロになっており手がつけられない。

腹はグウグウ鳴っているというのに、鴨もダメ、そばもダメ。疲れているぼくは、好物を前にした予期せぬ事態にイラ立ち、猛烈に腹が立ってきた。

できることなら円満に

最初は、妻と「ひどいよなあ」「ホントだよね」などと言いあって苦笑いしていたのだが、もう一口たりとも食べられないことがハッキリするにつれ、カラダの芯が熱くなるような怒りが込み上げてきた。

いくらなんでも、店側の味つけミスだろう。これは抗議する資格がある。取り換えてくれと言おう。そう思った。

しかし、ぼくには言えなかったのである。のど元まで「味がおかしいよ」という言葉が出ていながら声にならないのである。おいおいどうしたんだよ、言えよ。そう自分を叱咤《しった》するのだが、何かが抵抗してしまう。

抗議にはタイミングがあり、怒りの頂点で爆発できなければもうアウトである。この場合だとせいぜい1、2分が勝負。時間が経てば経つほど言いづらくなるようだ。

他の客はこの味をどう思っているのだろうか。ぼくらのあとから入ってきた2名のオヤジ客の反応を見れば、味の異常性がわかるはずだ。ぼく同様、怒りを感じているようなら、がぜん抗議しやすくなる。

が、オヤジたちが頼んだのは定食で、そばはせいろである。せいろなら、そばつゆが辛くても自分で調整がつけられ、被害はさほどでもない。案の定、オヤジたちは無表情で食べている。

これは偶然なのか、それとも店の傾向を熟知したオヤジたちなりの対策なのか。ともかくこれで、客の総意をくんで味のおかしさを指摘する線も消えたわけだ。

結局ぼくは、ほぼすべてを残して店を出た。金を払うときは本当に悔しく、いったい何に対して金を払うのだろうと思い、ものすごい敗北感を感じながらも、おとなしく支払った。もう二度とくるものかと胸に呟き、コンビニに寄って寂しく食料を買ったのである。

この日、ぼくのジャマをしたものは何か。なぜ、あれほどマズく、妻という証人もいるというのに、指摘できなかったのか。理由はいくつか考えられる。

たかが飯のことで騒ぐのはみっともない。失う金はわずかな額だし、今後は来なければいい。仮に抗議して作り直してもらったとしても場の雰囲気は悪くなり、気分よく食べられないのが見えている。そのあたりだ。

考えてみれば、ぼくは今回に限らず、食事をしに行って味の悪さや店員の態度の悪さについて文句を言ったことがない。マズければ残し、店員の態度はガマンする。そして、店を出てからこう言うのだ。「ひどいな、この店は」と。

　多少のことには目をつぶる。これがオトナの処世術なのかもしれない。しかし、限界を超えていると判断したときまで、おとなしくしている必要があるのだろうか。騒ぐことはないと思うが、たしなめるくらいのことはしてもいいのではないだろうか。

　たとえば以前、中華料理屋でいやな臭いのする黄ばんだごはんが出てきたことがある。その店は味も悪かったから客がほとんど来ないのだろう。それで保温している米が古くなっているのだ。とても食べられたシロモノではないから、ぼくは手もつけなかった。だけど、そんなブナンな対応が、果たして店のためになるのだろうか。

　あの激辛そば屋だって、たまたまあの日、何かの手違いであんな味になってしまったのかもしれない。それを指摘することはうるさい客なんかではなく、むしろ店側としては「よく言ってくれた」と歓迎すべき客なのでは……。

　とまあ、妙に理屈っぽくなってしまったが、それはこの店にメニューの豊富さと値段の安さ、ボリュームのほかにも捨てがたい点があるからなのだ。

　営業時間の長さである。そば屋といえば午後7時か8時には閉まってしまうところが多いのに、ここは9時を過ぎてもまだ営業しているのだ。これが大きい。駅からの帰り道、そばでも食べたいところだなあと思ったとき、この店だけがあいている。そんなことがよくあるのだ。

そば好きのぼくとしては、できることなら利用したいし、激辛事件後も何度かドアをあける直前までいった。もっとも、ドア越しにたいして客がいない店内を見ると、あの味と、何も言えなかった屈辱感を思い出して入りそびれているけれど。

これが通りすがりのそば屋なら思い悩んだりはしないが、毎日のように前を通る店である。ここで食べられるかどうかで、ぼくの食生活というか、そばライフといったものが多少変わってくるのだ。

もう一度、行ってみようと思った。そして、マズければそれを店主に伝えよう。問題は、こっちの気持ちをどう伝えるかだ。

マズいと怒るだけなら、最初からその気で入ったらできるだろうが、二度と行けなくなるだろうから意味がない。だいいち、ぼくはいつ店主と顔を合わせてもおかしくないところに住んでいる。難クセをつける客だと誤解されたりしたら暮らしにくくなってしまう。

辛さがウチの味なんだと言われたら相性が悪いんだからしょうがないけど、できることなら円満に話がしたい。それが味の改善につながるのなら理想的だ。

ということで、整理するとこうなる。
・ひとりの客として、味の悪さを指摘できるか

・なおかつ、また食べに行けるような店との関係を作れるか
う〜ん、カンタンそうでムズカしい、解けそうで解けない試験問題を出された気分だ。

味見していないのかも

3カ月ぶりにそば屋を訪れると、メニューから鴨が姿を消していた。そうか、春だもんな。

「いらっしゃいませ、ご注文は何になさいますか」

丁寧な口調で若い男が尋ね、スッと冷たい麦茶を出す。そうだ、前回も彼が注文を取っていたんだよなあ。すごく感じがいいんで覚えている。

「カツ丼セットください。そばは熱いので」

店内を見回すと、オヤジ客がスポーツ新聞を読みながらざるそばを食べている。表情から不満は読み取れない。ぼくが抗議したとしてもオヤジが同調する確率はゼロだろう。

と、今度は女性のふたり連れが入ってきた。なんだよ、けっこう客が来るじゃないの。ひょっとすると味が変わったのか。被害者はあの日の我々だけだったりして……。

いや、違う。鴨丼にはその可能性があるとしても、そばつゆは大量に作るはずだ。煮詰まっていたにせよ、この店の味の本筋は超辛口。時間帯も一緒だから、また激辛である確率は

高い。

難クセだと思われないためには、なるべく早い段階で文句をつけることが有効だとぼくは考えていた。

「あれ、ちょっとコレ辛いなあ」

これだったら、さほど苦労することもなく、口にできそうだ。すると相手は「え、そうですか」とくるだろうから「うん、かなり辛いよ。いつもこうなの？」とかなんとかソフトな表現でオイラが言う。

「そうですか、いやね、薄々そうじゃないかと思ってたんだけど、いや〜お客さんに言ってもらってよかったですよ。今後気をつけますから」と店主が頭を下げたりして。そうなると、もうそれ以上は言えんわなあ。

「余計な世話だとは思ったんだけど、ここは遅くまでがんばって営業していて好きなんスよ。また来ますから」

こういうさりげない展開が最高だ。前回のようにタイミングを逸すると、言ったとしても一瞬にして店内にピリピリした緊張感が走ってしまうだろう。どこまで素直に、明るい感じで、クレームをつけられるかがカンジンだ。そんな芸当ができるだろうか。

「お待たせしました。カツ丼セットです」

考えているうちに店員が持ってきてしまった。よし、いくぞ。

カツ丼をほおばり、返す刀でつゆを飲む。あれ、辛くない。辛いどころか……激甘だ。つゆは少し辛めで前回の名残を感じさせるものの、カツ丼のタレはベッタリと甘いのである。

こういう味はまったく予想していなかった。マズいのは間違いないが、不意をつかれたぼくは言葉を失い、頭が混乱したままボーゼンとしてしまった。どう反応していいか見当がつかず、30秒ほど虚空《こくう》をニランだ。

当然、言葉も失っていた。異常な辛さから異常な甘さへ180度の転換が、なぜ起きるのか理解できなかったのだ。前回は塩や醬油の入れすぎで、今回は砂糖の使いすぎ、共通するのは圧倒的なマズさなんだけど、マズいという言葉は主観的。口にすればどうしてもイチャモンっぽくなってしまう。

「……たまらんな」

呟いてみても声が小さくて誰にも聞こえやしない。くそ、またしても敗北だ。

それでもわかったことがある。前回、ぼくは店の主人の舌がおかしいと思ったのだが、そうだとすると対照的なふたつの味を平気で客に出すのはヘンだ。となると、答えはひとつ。この店では味見をしないということだ。レシピもいいかげんだろう。たぶん、日替わりで味が違うのではないか。じつに、めずらしいそば屋である。

これまでつい料理に気を奪われていたが、厨房を観察すると店主は30代後半の男のようだ。オヤジが作って息子が手伝っているという推理もハズれた。店主がウェイター役の青年をクンづけで呼んでいるからだ。店も古くないところを見ると2代目なのかもしれない。

何かの都合で先代が引退して息子が店を仕切るようになり、外装はリフレッシュしたけれど、ロクに修業をしていないため味が落ち、客も減ってしまった。そのため営業時間を長くし、メニューを増やして踏みとどまろうとしているが、そこは2代目の悲しさ。根本から修業をやり直すだけの根性はない。

そんなシナリオが考えられる。妄想か。でもそんな感じがするし、実際のところはわからないから、ここではその前提で話を進めよう。

2代目の動きを観察していると、麺をゆでてる最中に携帯電話が鳴り、それに出たりしている。

「いま仕事中なんだよ」と言ってはいるが、切らずにしばらく話していた。料理中に携帯で話す料理人なんか見たことがない。この男、商売というものをナメている。

しばらくすると、店主の知りあいらしき男がやってきた。店に来るのは初めてのようで、メニューを見て迷ったあげく日替わりセットを注文。まもなく、豚肉の料理と、遠目にもゆですぎであることがわかるせいろが出来上がった。一口食べて、顔をあげる。マズいのだ。

表情を見ればわかる。

よし、オイラの代わりにはっきり言ってくれ。

ダメだ、顔を伏せてしまった。やはりこういうことは言いにくいのか、しきりにしゃべっているくせに味のことは話題にしない。

「なんかイマイチだなあ、味見してんのかよ」

書くのはカンタンだけど、それで食ってる人間に言うのは、そうやさしくはないのだ。ぼくにはこの知人の心情がよくわかる。

言え、言ってしまうのだ

翌日、ぼくは再びそば屋のドアをあけた。今日こそ言わなければならない。この店にがんばってもらいたい客として、あえて苦言を呈しつつ、どこかで愛情が感じられるクレームをつけなければならない。昨日の夜は悔しさと何とも言えない自分への腹立ちとで寝つきが悪かったのだ。

怖いのはマズさに慣れて最初ほどの怒りが得られなくなること。そのため、今日は朝から何も食べずに腹を空かせている。背水の陣といってもいい。

「すき焼きセットください」

入るなり注文。バイトくんには悪いが愛想笑いも一切なしだ。客はぼく以外にカップルが一組。もう食べ終わり雑談している。あとはサラリーマン風の男がひとり。

ふぅ、まずは深呼吸だ。緊張していることをさとられてはまずいからな。

今日は辛い日か甘い日か。いずれにしろ限度を超えていると思ったら、ひとこと言わせてもらう。ただし、金を払ったあとで。その前に言ってイチャモンぽく受け取られてはかなわない。

あくまで金は払ったうえで、正直な感想を述べる。これが、ぼくなりに考え抜いた〝地元の店で遺恨を残さずマズさを指摘する〟ための最善策だ。

「お待たせいたしました、すき焼きセットです。ごゆっくりどうぞ」

目を閉じて待つことしばし。相変わらず感心するほどていねいなバイトくんがやってきた。

しかし、今日のぼくは腹を空かせた猛獣。昨日までとは意気込みが違う。

目を開けると、丼には真っ黒な肉のカタマリがゴロゴロのっていた。すき焼きである。まともな店なら見ただけで客に出すことをためらうであろう、黒光りする逸品である。これはいつぞやの鴨丼なみの辛さが期待できそうだ。

軽くメシと混ぜ、口に入れてみた。う、なんという甘辛さだ。慌てて麦茶を飲み干すが、まだ舌先がジンジンしている。

ひどい、ひどすぎる。そう思ってコップをテーブルに戻したとき、無意識に「マズいなあ」と声が出た。慌てて厨房を見たが、小声だったので聞こえなかったようだ。

しかし、ひとりだけ気づいた人間がいた。あとから入ってきたサラリーマンがチラチラこっちを見るのである。きっと初めてなのだろう、男は自分が頼んだセットメニューの味に不安を感じたようだ。

そばの辛さは昨日と同じで、食べられないほどではない。麺がのび気味なのはいつものこと。したがって、これがこのそば屋の平均的な味だと推測できる。うまくはないが、夜9時以降なら文句を言わずに食べてもいい。しかし、すき焼きはキビシすぎる。

バイトくんが表のライトを消し、閉店準備にかかる。ぼくはそばだけを食べ、席を立つタイミングを計った。

料金を払うついでに領収書を頼み、時間を稼ぐ。もう客は入ってこない。いまだ、いまこそチャンスだ。領収書を受け取りながら、ぼくはバイトくんに言った。

「辛すぎて食べられなかったよ」

やっと言えた。言ってしまった。安堵感で、気持ちが軽くなってゆくのがわかる。

「そうでしたか……」

　本当にキミは腰が低いなあ。だけど、話したいのは店主なのだ。ぼくは厨房のなかにいる店主にも声を掛けてみた。

「味が濃すぎませんか」

　店主は驚いたようにこっちを見て、なんだコイツはという顔になり、一拍置いて「あ、それはどうも」と答えた。

「味見したら辛いってわかると思うんだけどな」

「はあ」

　客が必死に気力を振り絞ってマズかったたって言ってるのに、はぁはないだろ。ぼくとしてはプライドを傷つけられて逆に怒るとか、商売人らしくおおげさに謝るとか、はっきりした反応がほしいのだ。

　沈黙が流れる。まずい、このままでは後味が悪すぎる。

「いや、だからぼくとしてはこの店、遅くまでやってるし、ちょくちょく利用したいけど、あんなに辛いと食べられないんだよ」

「…………」

「もう少しなんていうか、食べやすい味つけにしてもらえれば、ありがたいというか」

「…………」

いったい、ぼくは何のためにさっきまで緊張し、何のために店主にお願いしてるんだ。まるで会話にならないまま時間が流れてゆく。

「じゃあ、帰ります」

レジに背を向けると何事もなかったかのように無機質なバイトくんの声がかかる。

「ありがとうございました、またおいでくださいませ」

ああ、なんてこった。サラリーマンは見てみぬフリでそばを食べている。その丼にはほとんど手がつけられていない。

ドアを閉め、歩きだしたところでタメ息が出た。ぼくはもう二度とここへはこないだろう。

そして今日、少しばかり自分のこともイヤになった。


(裏モノJAPAN1999年6月号掲載)

☆

1年ほどして、この店に行ってみた。やはり完食困難な味ではあったが、極端な甘さや辛さは影をひそめていた。相変わらず客は少なく、苦戦しているようだ。気がつかないうちにますます営業時間が長くなり、メニューも増えている。さらに半年ほどしてまた行ってみたが、良化は感じられなかった。驚くべきは、メニューに寿司が加わったことだ。前から刺身を扱っていたようだが、いったいどうして。無理があるだろう。もはや、なりふり構わずか。それ以前に、プロのレベルからほど遠い店主の舌を何とかして欲しいものだ。こうなると、ぼくの三大好物のうち最後の砦となったカレーライスも、いつメニューに加えられても不思議じゃない。

ここまできたら忠告など無駄。決別だ。ぼくは、そば屋なのか何なのか、わけのわからない店になってきたこの店を見捨てることにした。最近のぼくは立ち食いそばに活路を見出している。

ウインズにたむろする席取りオヤジに着席権を主張する

何の権利があって居座り続けるのか

今回は前々から気になっていた〝席取りモンダイ〟にチャレンジだ。なんて書き出すと、満員電車でわずかなシートの隙間に尻を突っ込み、強引に座ってしまうオバチャンを想像するかもしれないが、あれとは違う。

確かに、あれも目を覆いたくなる光景ではあるけど、オバチャンのむき出しのパワーを心のどこかで「オレもあんなふうに自分に素直に生きられたら」とうらやましく思う気持ちもあったりして、べつに腹は立たない。

では〝席取りモンダイ〟とは何か。これは、日本各地の競馬場やウインズ（場外馬券売場）で週末のたびに繰り広げられている、醜い席取り合戦のことだ。

競馬場のスタンド内やウインズには客のための椅子が用意されているが、訪れる人数に対してその数は圧倒的に少ない。そのため、どうしても席を確保したい人たちは、到着するなり椅子に向かって突撃し、その場を離れるときには荷物を置きっぱなしにし、着席権を手放さないようにするのだ。

けれども、荷物を置きっぱなしにしていたら盗まれてしまうかもしれない。もっと手軽に着席権をキープする適当な方法はないものか。とまあ、そんな流れでいつのまにか定着してしまったのが、スポーツ新聞や競馬新聞を椅子に置いて他の人間が座らないようケンセイするやり方なのである。

まあ、競馬好きだけじゃなくてその他のギャンブル場、いやギャンブル以外の場所でも似たようなことはあるのかもしれない。

たとえば混んでいる映画館でやっと空席を見つけて座ろうと思ったら、ちゃっかり荷物が置いてあるようなこと、よくあるでしょ。あれが荷物ではなく「夕刊フジ」がダダダッと置かれていたら、一瞬これはキープなのだろうか忘れ物だろうかと判断に苦しむと思う。

ところが、置いた本人はヨレヨレになった新聞でもカンペキに着席権は成立すると信じ切っているため、ヘタに座ろうものなら「この席はオレのもんだ」と文句をいわれるとしたら、どうだい、ムカつかんか？

それでも入場券を払っている映画館の座席にはまだ早いもの勝ちの論理がまかりとおる余

地もあるし、座席を占拠するのは映画が終わるまでのせいぜい2時間。そもそも座りきれないほど客をいれる劇場側にもモンダイがある。

が、ギャンブル場の椅子は主たる目的であるレース観戦のために設けられたものではない。レース検討のためにちょっと腰を下ろして考えたり、立ちっぱなしの疲れをいやすためにあるものなのだ。なのに、そこに座る連中は指定席とでも思っているのか、どっかりと座って離れようとしない。離れるときはスポーツ新聞をちょこんと置いておけば永久確保。馬券を買いレースを見てから当然のようにその場所に戻ってくる。椅子席がガラガラで誰も座っていなくても、そこにスポーツ新聞があるかぎり、うかつには座れないのだ、疲れているときなんか、その腹立たしさときたら、もう筆舌に尽くしがたいものがあるぞ！

いやいや、最初からテンションが高くなってしまったが、少しはぼくが感じているやり場のない怒りをわかってもらえただろうか。

これがバッグなど明らかな私物とわかる荷物ならまだいい。それを放って席を外すことには「盗まれる」リスクがあるからだ。競馬新聞でも400円はするのだからまあ許そう。しかし、ぼくが目にする席取り人の大半はスポーツ紙から競馬欄を抜いた残りの紙面を置いて堂々と席を外す。いらないページなんだから、仮に盗まれても痛くもカユくもないんだよね。そこのところの抜け目のなさというか、セコさがじつに嫌らしいのだよ。

断っておくが、ぼくは誰かが騒ごうが酔っぱらおうが主催者に食ってかかろうが文句を言う気はない。ギャンブル場ではみんなてめえのことしか考えていないのが普通だと思う。しかし、これだけは本当に情けなく感じる。

そんなわけで、競馬場のスタンド内やウインズの座席はスポーツ紙だらけ、着席権キープにはスポーツ紙でOKという、場の雰囲気が昔っからできあがっているため、あとからきた人はそこがいくら空席でも座りにくくなっている。

実際、ぼくはいまだかつてスポーツ紙を無視して座った人を見たことがない。座ると、やがてこの席は自分のものと信じて疑わない先客が戻ってきて、面倒なことになりかねないからだ。予想をしたり馬券を買うためにきているのだから、不毛な言い争いやトラブルで消耗はしたくないのが人情。かくして人はため息をつき、着席をあきらめてしまう。ぼくがその典型だ。

ただでさえ気弱なぼくは、ここ数年というもの、まともに座れたことすら一度もない。いつもムカつきながら立ちっぱなし組です。はい。

席取ってんだから、ほらどけ！

ところが99年の夏、異変が起きた。ある土曜、睡眠不足でウインズ後楽園にいったぼくは、あまりのダルさについ、スポーツ紙を無視して座席に座ってしまったのだ。

居座るつもりはない。5分か10分、馬券を検討したら席を立つつもりだった。

するとどうだ、必死で競馬新聞を見ているぼくの前に、ぶ然とした顔のオヤジ（推定50歳）が立ち、「兄ちゃん、そこはオレの席だ」と言うではないか。

「は？」

「オレの席だっつってんの。席取ってんだから、ほらどけって。スポーツ新聞置いてあんだろ」

いつもならトラブルを避けるためにすぐに席を立つところだ。が、あいにくこの日は疲れており、予想も最終段階にさしかかっていたせいか、ぼくは自分でも思いがけないことばを口走ったのである。

「スポーツ新聞だって？　ああ、これか。こんなの関係ないでしょうよ」

「なんだと、バカヤロー。まわりを見ろ、ここじゃみんなそうしてるのがわかんねえのか。どけ」

トラブルのときはクールに対応のはずが、たきつけてしまった。オヤジは理解に苦しむほどの剣幕で、どけどけと吠えまくる。

「ここは公共の座席であって、指定席ではないんですよ。ぼくだって、予想が終わったらすぐに席を立つから、それでいいでしょう」

いまさら正論を吐いても遅い。オヤジはぼくの意見などまったく聞いていなかった。

「オレはさっきまでここにいたんだよ。そんで、いま馬券買いにいってほんの1分かそこらで戻ってきたら、おまえが座ってやがる。それで、ここはオレがいた席だからよそへ行けっつってんの。それをいまどきのガキは理屈こねやがって。おう、文句あんのか！」

「隣もあいてるんだから、そこに座ればいいじゃないですか」

「だからさっきから言ってんだろうが。みんな席取ってんの。朝からきて、がっちり席が決まってんの、おまえの座るとこなんかねえんだ」

オヤジはスポーツ紙の威力を心底信じているようだった。まずい展開だ。ぼくは座って予想がしたいだけなのに。

「ったくよう、近頃の若いヤツは礼儀もしらねえ」

こんなこと言われたら、もうあとには引けないよな。ぼくは置いてあったスポーツ紙をおもむろに手に取った。

「礼儀しらずはどっちだ。こんなペラペラの、芸能欄だけの新聞で席を取ったりするから、みんなが座れなくて迷惑してるんだよ」

「うるさい。おまえみたいなチャラチャラした若造がオレは許せないんだよ」

「オレは41だ。若造じゃない」

話が座席と関係ない方向にどんどん流れていく。まいったなと思っていると、足に衝撃が。なぜ蹴るんだ、オヤジ。

しかも、騒ぎ声を聞いたオヤジの仲間連中が続々と戻ってきて、ぼくを取り囲むように立ちはだかった。10人くらいいるだろうか。

どうやらオヤジたちは、ここの常連らしい。きっと毎週、ここを占拠しているんだろう。大部分は50代以上の冴えない中年男だが、なかに2名ほど、赤ら顔でパンチパーマのゴツイのがいるのがコワい。そのうちのひとりが「どうした」とオヤジに尋ねた。

「この若造が……」

事情を説明するオヤジ。それを聞いて、うなずくパンチ。いったい連中はどんな仲間なんだろうか、案外、このウインズで毎週顔を合わせるうちに親しくなったのかもしれない。頼む、パンチよ、まともな判断力を示してくれ。

「なるほどな。そりゃ、アンタが悪いよ。スポーツ新聞が置いてあったなら、誰かの席だってわかるだろ」

やはり、スポーツ紙は絶対なのである。ぼくは落ち込みつつも、席取りのせいでみんなシブシブ座るのをあきらめているのだと抗議したが、ムダだった。

「オレたちは席取るために早くからきてるんだからよ、なあ」

そうだ、そうだと何人かが言い、パンチが締めくくる。

「アンタのいうことはわかるが、とにかくここはダメだ。よそはしらんが、ここじゃあスポーツ紙を置いたら席を取ったことになる」

まるでオレたちが法律とでもいいたげな口ぶり。ここはお前たちの縄張りかい。

そのとき馬券の発売締め切りを告げるベルが鳴り、男たちは場内テレビを見るためいっせいに席を離れていった。ぼくは結局、馬券も買えず、むなしさいっぱいで立ち去るしかなかったのである。

何のために踏ん張るのか

1カ月後の日曜日、ぼくはあの日以来はじめて、ウインズ後楽園に行くことにした。後楽園は場外での主戦場だというのに、あんな理不尽なことをされたままでいたら、今後ずっと席に座るのをためらってしまうだろう。それを避けるためには、どうしてももう一度、椅子に座らなければならない。

マナーがどうとか、公共性うんぬんはどうでもいい。自分のためである。

駅からまっすぐウインズに入り、前回の現場である3階へ着くと、日曜ということもあってかなり混雑していた。座席のほうを見れば、ほとんど人が座り、空席にはお約束のスポーツ紙。顔ぶれはバラバラのようで、この前のオヤジやパンチの姿は見えない。ぼくは少しホッとした。

だが、油断は禁物だ。ウインズの常としてコワモテ顔もチラホラいるし、そうでなくてもきっちり座席をキープしている連中だからスポーツ紙による着席権に何の疑いも持たない人ばかりだと考えたほうがいい。

まずは偵察のため、カメラを持って座席のまわりを一周してみた。空席は10ほどある。締切時間が近づけばもっと増えるはずだ。まあ、そのタイミングを狙って座るというのもケンカ売ってるようなものだから、いまある空席のうち、なかなか戻ってこないところに座ってみようか……。

いろいろ考えているうちに緊張してきた。前回は何も考えずに行動したから座れたのだ。トラブル覚悟だと、ためらうものがある。

いまのうちに馬券を買っておくのが正解か。いやいや、それじゃ意味がない。さりげなく座り、クレームを付けられても冷静に対処してこっちの言い分をわかってもらった上で、円満に席を譲られ馬券を買いたいのだ。

その場で決着を付けようとすると、また不毛な言い争いになりかねないからゴリ押しはせず、スポーツ紙での席取りを認めない人間もいることをアピールできればよしとする。これが、ぼくのささやかな望みである。

再び座席に接近。さきほどチェックした空席のうち、まだそのままになっているところを探す。5席ほどあるが、座りやすい端っこの席はひとつだけ。左隣にはおとなしそうなメガネ中年がひとりだ。よし、ここにしよう。

ぼくは深呼吸して席まで行き、スポーツ紙を背もたれのところにズラして腰を下ろそうとした。そのときだ。

「あ、そこ、人がいます」

メガネが言って、スマンというように頭を下げた。そうか、頭を下げられちゃあ座れんわなあ。

端の席はもうないか。ならば、3席連続で空いているところに変更しよう。うんうん、それならたとえ誰かがきても座って話ができるしな。

移動して「お、あいてるわい」という表情を作り、素早く座る。周囲の反応はとくになし。よーし、第一関門は突破だ。さっそく予想に移ろう。締め切りまで15分。ぼくは競馬新聞を開き、あらかじめ絞り込んでいた買い目をさらに検討して、マークシートに書き込むことにした。

現在、締め切りまで10分。5分間は何事もなく過ぎたが、どうにも落ちつかない気分だ。新幹線で指定券を持たずに指定席に乗っていて、いつ車掌がくるかと怯《おび》えている感じ。べつに悪いことはしてないのにドキドキしてしまう。

このまま誰もこなければいいと思った。座席には座ったんだし、馬券購入の検討を終えたら締め切り3分前には席を立ちたい。あと、ほんの7分、ここをキープしたつもりの人間がこなければ、ぼくは気持ちよくここから立ち去ろうじゃないか。

考えてみれば、この前はめったにおきないトラブルだったのかもしれない。たいていの人はあそこまで強引ではなく、いちおうスポーツ紙を置いてみて、あわよくば誰も座ってくれるなと願っている程度じゃないのか。

現にいま、まわりにいる人たちを見ても、ごく平凡な競馬ファンという雰囲気の人が大半。きっとそうだ。ぼくがこのスポーツ紙席取り男だとしても、戻ってきて誰かが座っていたらあきらめるもんなあ。

抗議して、こんなものを置いて席を取るなんて姑息だと言われたら返す言葉がないし、恥ずかしい。そんな羽目になって席に戻れなくても惜しくないよう、曖昧に着席権を主張する道具がスポーツ紙なのだ。

あきらめるか抗議するかの判断基準は何か。座ってしまった人間の迫力だろう。早い話、ぼくがコワモテだったら、前回のオヤジだって何も言えなかったに違いない。チャラチャラした若造と思ったからこそ強い口調で「どけ」と言えたのである。ぼくは大きく背筋を伸ばし、競馬新聞をガバッと広げて足を組んだ。これで正面からは顔が見えなくなるはずだ。

が、その直後に平穏は破られた。

「ちょっと、ちょっと」

き、きた。

「ここ、オレの席だからさ。悪いね、あけてくれる」

顔を上げるとオヤジがいた。顔色の悪い、いかにもギャンブルと酒が好きそうな50代、心なしか前回のオヤジと似ている。まったくもう、どうしてこうなるかなあ。

急激に気が重くなってきた。断ったらまた、しょーもない論争になること確実だ。だけど、席を立ったら座ったかいがない。踏ん張りどころである。何のために踏ん張るのか、もう自分でもわからなくなりかけているが。

あんた、いったいいくらの勝負してるんだ

「オレの席って言われても、荷物とかなかったですけど」

やんわり拒否の構えを見せると、オヤジの顔色が変わった。

「新聞。新聞あったろ」

「え、ああこれですか」

脇の席に置いていたスポーツ紙を渡す。

「これこれ。これで席取っておいたんだから。ほら、みんなそうしてんだろ。ちゃんと人がいるんだから勝手に座っちゃダメだよ」

「あなた、ずいぶん長く席を外してたでしょう。ここは指定席じゃないんだから、そういうときは席を空けて、また新しい席に座るのが普通じゃないですか」

ぼくは1カ月前のテツを踏むまいと、努めて穏やかに、若造っぽくない話し方をした。緊張していることもあるけれど、周囲の視線が気になるのだ。

なにしろ、ここに座っている人の多くはスポーツ紙で場所取りをしていると考えられる。彼らを刺激して敵役にされたらおしまいだ。幸いにも彼らは自分以外のことには関心がないのか、オヤジの味方をするそぶりはない。

無関心といえば、警備員もそうである。前回といい今回といい、けっこう目立っているはずなのに、当然のように見てみぬフリ。馬券オヤジどものトラブルなんかに関わりたくないのがアリアリだ。ウインズだけじゃない。競馬場だって、うるさいほど警備員を雇っているくせに、席取りモンダイにはノータッチなんだもんな。

「どうしたんだよ」

ん。しまった、このオヤジにもまた連れがいたようだ。パンチ氏のような迫力はないが、2対1になったことでオヤジは急に高圧的になってきた。

「この人、オレが先に場所をとってるのにどいてくんないんだってよ。ちょっと席を外すのも許せないんだと」

様子を見ていた時間を含めて20分は席にいなかったくせに。

「まぁなあ」

連れのほうは面倒に巻き込まれたくないみたいだ。よし、これならがんばれる。締め切りまであと6分。すでにマークシートはできているから、まだ大丈夫だ。

「とにかくどいてくれって。ココはオレの席なんだよ」

オヤジはだんだん語気が荒くなり、なんとしてもぼくを追い出す構えだ。

「隣があいてますよ。こっちに座ればいいじゃない」

「そういうモンダイじゃないだろう。あんたもわからん人だな」

わからんのはどっちだよ。ぼくはスポーツ紙で席を押さえる発想はセコく、そんなものは大多数の競馬好きにとって迷惑でしかないと言った。

この時点ではまだ冷静だったといえる。だが、それでもネチネチと文句を言うオヤジを見ているうちに、腹の底から怒りがわき起こってしまった。

「あんたなあ、必死になって席取って、いったいいくらの勝負してるんだ？　メインの馬券買ったんだったら見せてくださいよ。5万10万の勝負してるんなら喜んで席を譲るから」

ありゃりゃ、オレは何を言ってるんだ。席取りとは関係ないではないか。でも、この暴言、あんがい効いたらしく、途端にオヤジがひるんだ。

「い、いくらでもいいだろう」

たいして買ってないのだ。ここは500円単位で馬券を売るフロアだから、あてずっぽうに言ってみただけなのに。

「まあ、いいじゃない。厳密に言えば新聞に場所を取る効力はないと思うよ」

連れの男が苦笑いしながらオヤジを制し、ふたりは席を離れた。その姿が人混みにまぎれるのを確認して、ぼくも席を離れた。どっと疲労感が押し寄せてくる。Tシャツの下が汗でべっとりしていた。

馬券を買ってもう一度、席を見に行ったらさっきまでいなかった若い男が席に座って競馬新聞とニラメッコしていた。疲れて足がダルイのか、靴を脱いで指先をさすっている。

不毛を絵に描いたような戦いだったけど、少なくともあの男の役には立てたのかもしれん。

ひと休みしたら、ぜひ最終レースを当ててくれ。

ぼくはメインレース、かすりもしなかったけどな。あ〜あ。

（裏モノＪＡＰＡＮ１９９９年11月号掲載）

☆

数えたわけじゃないけど、最近になってウインズ後楽園のプラスティック席が減ったように思う。そのぶんスペースが広くなり、スポーツ紙による席取りが幅を効かせなくなったのはいい傾向だろう。

しかしこれ、いわゆる臭いものにフタってやつですね。席があると人がたまる。醜い争いもある。じゃあ、目立たないよう減らしてしまえ。いかにも、お上らしい発想だ。せっかく小休止できるスペースがあるのに、有効活用することもできない。あ〜いやだいやだ。

注意書きを明示するだけでも独占しにくくなるし、抗議もしやすいと思うのに。席取りオヤジどもと闘う姿勢はゼロ。ちっとも根本的解決の助けにはなっていない。競馬ファンのマナーをよくしようとする意識はなく、競馬場では相変わらず、この席取りが横行している。くだらないＣＭに大金を使うなら、迷惑な席取りをチェックすることに少しはまわせばどうだＪＲＡ。

知人に貸した2千円の返済をセマる

「返してくれ」と言えずに数十年

貸し金の催促。これは、いずれやらねばと思っていたテーマだった。大きな金額ではない。そうだな、数百円からせいぜい2千円どまりの、細かい金の貸し借りについてだ。

やっかいなモンダイだと思うのである。なぜやっかいなのかといえば、それは額が小さいがゆえに貸すのを断りにくく、いったん貸してしまったら今度は額が少ないゆえに返済をセマりにくいからだ。

たとえば缶ジュース。ノドが渇き、ちょいと自販機でという場面で、隣にいた友人が言う。

「あ、小銭ないや。貸しといて」

わずか120円。これを断れる人がいるだろうか。だけど、これがクセモノなのだ。あまりにも軽い借金だから、借りたほうはすぐに忘れてしまうのである。

タバコ代しかり、電車賃しかり。すぐ忘れる。ヘタすりゃその日のうちに忘却の彼方。

一方、貸したほうは忘れない。自分が借りたときには忘れても、貸したときは100円だってきっちり憶えている。おごったんじゃなくて貸したんだから返してほしいよなと思う。自分には当然その権利があると考える。

ところが、これが言えないんだよなあ。額が小さければ小さいほどケチなヤツだと思われそうで、口に出すのがはばかられる。

「この前、オレが出したジュース代、120円返してくれ」

「いつか切符買うとき小銭足りなくて30円貸したろ。あれ返せよ」

高校生までならなんとかなっても、いい歳してマジな顔で言えるか。ぼくはダメだ。これができるのはかなりの猛者《もさ》だと思う。ためらっているうちに時は流れ、ますます言えなくなってくる。貸した次に会ったとき言えなきゃもうキビシイだろう。額が多少増えたとしても〝借金らしくない借金〟であるかぎり事情は同じだ。

この時点できっぱりあきらめがつけばいい、あの金は貸したのではなくあげたのだと納得できればいい。でも、それができないから困るのだ。

いまさら言えない、でも忘れられない。ここから小銭貸し人間の苦悩が始まる。モンダイの核心が、金そのものから〝金を借りたアイツ〟や〝貸したオレ〟の人間性になってくるからだ。

『んもう、鈍いな、さっきオレが自販機でジュース買うときわざとモタモタしてみせたのに、なんで思い出さないんだよ。小銭だからってことか。だけどなあ、そういうことじゃないだろこれは。人間、信頼関係だからね。きっちり行こうぜきっちり。だいたい言えないオレもオレだよ。自販機の前で「この前はオレが払ったから今日はおまえの番な」と言えばよかったんだ。そうすればアイツも思い出して「すまんすまん」とでも答えたに違いないのに。もうダメだ、絶好のチャンスを逃した。こんなことすら言えず、相手を疑っているオレは小物なのかも……』

こんな感じのネガティブ思考になってしまい、しばらくして（だいたい数カ月かかってしまう）やっと苦い気分が抜けたころ、また小さな金を貸してしまうのである。そんな自分が嫌で、善意のカタマリになってみたかったのか、衝動的に大金を貸したことすらあるほどだ。つくづく器が小さい。

ぼくは自分をケチと思わないが、貸した金のことはなかなか忘れられないし、そのほとんどを取りっぱぐれるということを長い間繰り返してきた。「返してくれ」と言えずに数十年である。借りたときには平気で忘れ、そのことを指摘されると「うるさいヤツだな」とか思うくせに、自分が貸すとくよくよ心を痛める。どこかで歯止めをかけなければこの先もずっとそうだろう。

とかく確信犯はあつかいにくい

みんな乏しい小遣いをやりくりせねばならず、割り勘がすべての基本だった高校時代前半まではそんなことなかった。しかし、バイトしたりして自由になる金に差が出る高校3年あたりから、小銭をめぐる貸し借りがひんぱんになる。

典型的だったのが友人Aである。当時のぼくたちは学校帰りや授業をさぼっては喫茶店でしょーもない時間を過ごしていたのだが、Aは金がなくても平気でついてくる男だった。

2回に1回はコーヒー代が少し足りず、そのたびに誰かが足りない分を払うのだが、そんなときAの態度はかぎりなくファジー。「わりィ、今度な」でなんとなく席を立つのだ。

喫茶店に行くメンバーはそのつど変わるし、Aの不足分を払うのもそのとき金があるヤツ。だいいち、数十円のことである。まだまだ小銭モンダイの怖さを知らない我々だった。

それから1年。浪人生になった我々がいつものように喫茶店に入り、数十円不足した金を置いてAが先に帰ったときのことだ。誰かがポツンとつぶやいた。

「このなかにAにおごってもらったことのあるヤツいる?」

いなかった。それどころか代わりに払った不足分を回収した者すらいない。

「言いたかないけどAって払う気ないんじゃないの」

薄々Aのセコさを感じていた我々は全員うなずいた。そして、次回は必ず全額支払わせようと話し合い、翌日また喫茶店に行ったとき、成りゆきでぼくがAにそれを言うハメになった。

「今日は払えよ。おまえはいつも借りっぱなしなんだから」

いままでのことはどうでもいい。我々としては今後Aが自分の代金を払ってほしいという程度のつもりだった。ところがAはなぜか激怒。やたら感情的になり、こんなことを口走ったのだ。

「ふざけんな、オレが返さないと思ってるのかよ!」

ここで「そうだよ」と応酬したらケンカになる。どうしても「いやそんなことはないけど」となってしまう。すると理不尽なことに、踏み倒し男Aのほうが有利な立場になってしまうのだ。

「すまん、言い過ぎた」

「ま、いいけどよ」

その後、あきれ果てた我々が次第に彼から離れるまで、Aがマイペースで他人に金を支払わせたことはいうまでもない。

大学に入ってからも確信犯は現れた。〝小さいのないから男〟である。こいつはいつも喫茶店を出るとき「小さいのないから立て替えといて」と、さも万札が崩れしだい払うようなことを匂わせて、こちらから請求しないと決して払おうとしないのだ。請求すると「忘れてた」とすぐに払うのだが、言いだすタイミングを見失うとそれっきり。向こうから思いだすことはなかった。悔しいので、一度先手を打って「小さいのがない」と言ってみたら、レジで一言。

「会計、別々でお願いします」

だったら自分もそうすればいい。しないのは、払いたくないからだとしか思えないよな。

数年前、あるライター見習いに仕事場を提供していたことがあるのだが、そのときも小さな金のことでさんざん嫌な思いをした。なかでもムカついたのが釣り銭のことである。見習いクンは近くのコンビニでしょっちゅう買い物をしたのだが、釣り銭を返さない。初めて買い物を頼んだとき「釣りはいいよ」と言ったのが運の尽きで、以降、ヤツはその言葉を忠実に守ったのだった。

それはハッキリ物を言わなかったこっちのせいでもある。なんて、そんなふうに考えてしまうところがもう負けモード。なにしろ相手は堂々と釣りをポケットに入れるのだ。ちっとやそっとじゃ「返せ」なんて言えなくなる。ぼくはいいように見習いクンのペースに乗せられていた。

先輩ライターとしてカッコつけたいとの見栄もあったし、金のことでとやかく言いたくない。それで、内心では忘れられないのに表面上は忘れたフリをしていたのだ。これはボディブローのようにダメージが蓄積する。疲れて金のことを話すことさえ面倒になるのだ。

やっと言えたのは1年ほどしてからだろうか。

昼食の買い出しを頼み、数百円は釣りがあるはずなのに戻してくれない。しかも、かかってきた電話での打ち合わせを終え、食べようとすると買い物袋が空になっている。驚いて見習いクンを見ると、すでにおにぎり4個を食べ終え、口いっぱいに菓子をほおばっているではないか。

さすがに腹が立ち、せめて釣りを返せと要求した。そのとき、こちらを見下すような目でヤツの口から出た言葉に、ぼくは耳を疑ってしまった。

「いいじゃないですか。まったく、みみっちいこと言わないでくださいよ〜」

あのなー、おまえにだけはそんなこと言われたくないよ。ぼくが本気で彼と手を切ろうと思ったのは、このときが初めてだったような気がする。

たかが2千円ごときで

たかが小銭、されど小銭。こんなくだらんことに心をかき乱されてはたまらん。そこでぼくが考えたのが、小さなことからコツコツ作戦。ぼくだって人に疑念を抱かせたり疲れさせているに違いないのだから、先に借りるのをやめるのだ。自分もやっていると思うから、余計に「返せ」と言いにくいのである。

借りなければいいのだから作戦はシンプルだ。小銭が足りないときはこう頼む。

「コーラ飲みたいんだけど70円しかない。50円くれ」

これである。もらうのだ。やや強引な手法だが断られたことが一度もないのは、50円ぽっち貸したことが忘れられずくよくよ悩むより、いっそあげたほうがラクだからではないだろうか。そうすれば相手もぼくに「くれ」と言いやすくなって一石二鳥。

この方法でクリアできるのはせいぜいジュースのレベル。タバコ代までいけば、あまりの図々しさに軽蔑されかねない。だから、そんな金は借りないし貸さない。

よーし、これでカンペキ……のはずだった。事実、ここ2年ほどはなんら悩むことなくやってきた。が、ここにきて思わぬ展開になってしまったのである。

2カ月ほど前、知り合いに子供が生まれ、出産祝いを4人であげることになった。すでにオムツだのオモチャだのは十分にあるということで、何かおもしろいものをプレゼントする方向で話が決定。で、ある日近所を歩いていたら、雑貨店でピースデザインの椅子を発見したのだ。

これはいい、きっと喜ぶ。値段もひとり2千円とリーズナブルだ。ぼくは3人にメールで打診してOKをもらい、それを購入。あとはそれぞれ金をもらい、知人にあげればいいことだった。

だが、ここで計算が狂う。パパとなった男に会う日、1人が仕事の都合で来られなくなり、さらに、プレゼントを渡した後もパパがそばにいるため金の話ができないまま、解散してしまったのだ。

まずい、自分から種をまいちゃったか。だけど、みんなオトナなんだし、よもや忘れることはあるまい。仮に忘れたとしても仕事でつきあいのある連中だから、じきに思いだしてくれるだろう。ぼくは当初、楽観的に考えていた。

実際、翌日、すかさずひとりが金を届けてくれたときには、知人を信頼し切れていない自分を恥ずかしく思ったものだ。

問題は残る2人だった。1週間、10日は音沙汰がなくとも心配はしない。本音をいえば早くすっきりしたいんだけど、めでたいことなのに性急に金の催促っていうのはさすがにためらう。額もたかが2千円である。

しかし、2週間が過ぎると少し不安がよぎり始める。よもやバックレるとは思えないが忘れてしまう可能性はある。このまま放っておくわけにはいかない。ぼくは思い切ってその2人、同じ出版社に勤務する向井明（仮名、33歳）と井上章子（仮名、24歳）に電話することにした。

プレゼント後の初会話。雑談でもしてからすみやかに切りだすつもりだった。けれど向井は忙しいらしく、いきなり「でかけるところなんですが、どうしました」ときた。そして、言葉を失ったぼくにつけいるスキを与えず、そそくさと切ってしまう。逆に話し好きの井上とは延々と雑談をしてしまい、挙げ句のはてに「あ、電話入ったみたいなんで」。

ここでメールに切り替える手もあったと思う。メールなら事務的に用件が伝えられる。が、それではなまぬるい。先の人生を考えたら、最低でも電話、できれば直に相手と会い「2千円払ってくれ」と言うべきじゃないのか。それでこそ積年の小銭貸し借りテンダイに画期的な一歩を記すことになるんじゃないだろうか。

さあ、考えどころだ。人間関係を傷つけずに解決するベストのタイミングはすでに逃したのだから、ここは慎重な行動が求められる。短気な追い込みは危険。やはり自然なカタチで思いだしてもらうのがいい。また、みみっちいとか、払わないとはいってないだろなんて言われたら、一気に形勢逆転だもんな。

「北尾から電話あってさ。2千円のことでなんか必死なんだよな」

なんて、向井が井上に言ったりするわけだ。

「私も。今度会ったときに払おうと思ってるのに、何をアセッてんのかしら。スケールが小さいって感じィ」

「まあ、こういうときに本性がでるからね」

「ホント、がっかりしちゃった」

おいおい、やめてくれよ。想像するだけで落ち込むじゃないか。

1カ月たっても事態は進展しなかった。時間がすぎる分だけマイナスである。いくらなんでも、そろそろ催促していいだろう。ただ、催促したはいいが持ち合わせがなくて「そのうち」になるのは避けたい。とくに井上はアルバイトの身でいつもピーピーしているから気をつけねば。

そうだ、給料日直後にもらえばいいではないか。給料日まではおとなしく待ち、思いだしてもらう。向井もそれがいい。万にひとつ、忘れているのではなく、できれば払わずに済ませたいと思っていたとしても、このタイミングなら金がないとは言わせない。

25日、満を持して電話をかけると、井上は不在で向井が出た。

「どうしました？」

「ん、いや今日って給料日なんだっけ。いいなあ勤め人は」

「なんですかいきなり。出ましたけどね、振り込みなんで」

「そうか、給料は出たんだな」

「こだわりますね。いままで給料の話なんかしたことないのに、ヘンですよ」

そうそう、いい勘してるじゃないか。思いだしてくれよ。

「体調が悪いんですか」

ちょっと違うなあ。

「ははあ、給料日だから晩飯でも食わせろってか。そういえば金がないらしいですね。クハハ」

そんなことはこれっぽっちも考えとらん。2千円返してくれればいいのだ。会話を引き延ばし、パパになった男のことまで話題にしてみたが、それでも向井は気づかない。ち、鈍感男め。ぼくはイライラしてきた。

「明日、あいてないか？」

「夕方なら社にいますよ」

こうなったら取り立てにいくしかない。ぼくは井上にも同様の伝言をした。

同情するなら金を返せ！

翌日、向井を会社に訪ねるまでは、できるだけ明るい調子で言いたいと思っていた。立て替え金を回収するだけのことだ。ここ1カ月のモヤモヤはおくびにも出さずに話をしたい。だけど、いざとなるとそうもいかない。2千円のためにわざわざ会社にまで足を運ぶ自分が哀れに思われるのではないかと、またぞろ余計なことを考えてしまうのだ。あまりにもオーバーなのではないか。ひとつ間違えば人間関係にヒビが入ってしまうかも。そんなことが頭をよぎる。だが、やるしかないのだ。

「よう！」

いつもと変わらぬフリをして声をかけたが、ぎこちないのだろう。向井はぼくを見て、けげんな表情になった。この男、何かあると察してはいるのだ。ただ、それが何なのか思いだせない。

「ふたりで話せるとこはないか」

「ここじゃまずいんですか」

周囲には同僚がいっぱいだ。金の話はあまりしたくない。

会議室につくと、向井はしきりに首をひねっている。さあ、はっきり言うのだ。

「えーと……」

言葉が出ずに、代わりにピースサインが出た。クイズかよ。しかもその手にうっすら緊張の汗をかいている。

「顔が怖いですよ。昨日は給料日のことなんか聞くし」

「そうか。ところで子供は順調に育ってるのかなあ」

「子供？　ああ、あいつの。順調みたいですよ」

ここまで振ってるんだ、立て替え金だよ、立て替え金。

「はは〜ん、わかった。金ですね。わざわざくるほどだ、相当まいっていると」

おう、やっと気づいたか。

「いいですよ。ぼくも余裕はないけど、少しぐらいなら融通できます。貸しましょう」

ち・が・う！　オレは物乞いにきたんじゃないんだ。

「いくら親しくても、礼儀ってもんがあるよな」

つい大声が出る。

「同情してくれるのはうれしいし、そのときは頭下げるよ。でも貸してるのはオレなの。おまえは貸すんじゃなくて返すんだろ！」

いまだ、いまなら言える。自分の感情に素直になり、怒りを表に出せた。

「出産祝いだよ。2千円、払ってもらおうか」

「あ……忘れてたあ」

くはは、そうだろう。それはなぜか。1万円でも5千円でもなく、2千円だからだ。借りてる気のしない金だからなのだ。

「すいません。つい、うっかり」

一瞬で怒りが溶ける。向井がわざと忘れたわけじゃないことは明白だし、この話題はこれっきりだ。ああ、それにしても長い間の便秘が解消したような、じつにさわやかな気分である。

これだよ、これを味わってみたかったのだ。向井は2千円のためになぜそこまで、という顔をしていたけどな。

残るは井上。ぼくは意気揚々と会議室を出た。

井上の表情がどことなくかしこまっている。思い出したのか。思い出したが手元に金がないのか。まあどっちでもいい。なければ次回でもいいのだ。向井に言えたことでリラックスしていたぼくに、もうためらいはない。しっかり、いつまでにという話だってできる。

少し雑談してから、いまだと顔を上げると、井上もこっちを見てほとんど同時に声が出た。

「あの、立て替え……」

「私、バイトやめることになったんです」

早口のぶん、先を越された。なにぃ、やめるのか。予想外の話にびっくりしていると、井上も立て替えという言葉の意味を察したのだろう。

「ごめんなさいっ」と素っ頓狂な声を発し、サイフを取りに走っていった。一目瞭然、向井と同じく2千円のことなど記憶になかったのだ。そんなことより、ここ1カ月の彼女の気持ちはバイトをやめるか続けるか、やめるならつぎをどうするかでいっぱいだったのだ。

向井も井上も悪意などなく、単純にド忘れしていただけだった。しかし、返済をセマられなければ、ふたりはずっと思いだすこともなかったと思う。

ぼくにしても、今日切りだせなかったら、これまでのドツボを繰り返したはずだ。言えないことを悩み、忘れているのか忘れたフリをしているのかと疑心暗鬼になり、そんな自分が小さく思え、やがて回収をあきらめる。残るのは〝わかってくれなかった〟彼らをうらむ気持ちと、自己嫌悪。たしかに瞬間的な気まずさは避けられないが、そんなのはあとからやってくる達成感に比べたら屁みたいなもんだ。

あれから1週間。いまとなっては自分がなぜ、あれほどナーバスになっていたのか不思議なくらいだ。今後はもう小銭の貸し借りでくよくよするなんて考えられない北尾である。

気になることといえば向井のあの言葉。ちょいとまとまった借金をしたいのだが、ヤツは応じてくれるだろうか。


（裏モノJAPAN2000年1月号掲載）

☆

被害者の側にまわれば敏感でも、立場が逆だと人間ってやつは途端に鈍感になる。

先日、本棚の整理をしていると、買った覚えのない写真集が出てきた。これはどうしたのか。記憶の糸をたどると答えがわかった。借り物なのである。ある女性の家に遊びに行ったとき、熱心に見ていたら貸してくれたのだ。「返すのはいつでもいいから」と言われたが、あれから早6年。そういえば、一度だけハガキがきたときに「あの写真集どうでした？」と書かれていたよな。返せとは言いにくくて遠回しに催促されていたのだ……。返さねばと思った。しかし、いまでは彼女の居所すらわからないのである。

キミはちょい知りの他人《ひと》に「鼻毛が出てますよ」と面と向かって言えるか

指摘された当人はものすごいショック

喫茶店などで人と差し向かいで話しているとき、いくら深刻な話をしていたり、話に熱中していても、目はあっちこっち動いているものである。お互いに相手の目をジッと見ながら会話しているなんてことはまずない。たまにそういうカップルを見かけると、何か異様な感じがするものだ。話しながらも目は動いている。これが普通ではないだろうか。

動けば何かを見つけてしまうのも必然だ。それが、他愛ないことであれば気に止めないし、ちょっとおもしろいことだったりしたら次の話題をそっち方面に持っていくなんてことも、誰もが無意識にやっていると思う。

だが、目に入ってきたのが、話をしている相手（女性）のVネックセーターから大幅にはみだしたブラジャーのヒモだったらどうだろう。しかも見られることを予期して作られていない、いかにもバストを支える機能のみを追求したかのような乳白色のブラだとしたら。

これは困る。妻や恋人、あるいはフランクな仲ならいいが、ちょっとした知り合いレベルだともういけない。

まず、目のやり場に困るというのがあるし、そのくせいかにも下着然としたそれは妙にエロチックなのでついつい何度も見てしまう。で、猛烈に気になるのだけどジロジロ見てはいけないような気になり、目の動きは途端に不自然になってしまう。こうなると、いままでスムーズだった会話のリズムもおかしくなり、こんなことを言われたりする。

「どうしたの?」

ここですぱっと「ブラが見えてますよ」とは、かなり親密な間柄でなければ言えないものである。指摘されたら、相手は恥ずかしい思いをするだろう。傷つくかもしれない。最悪は、「このエロオヤジ」などとあらぬ誤解をされる恐れもあるから、多くの人が黙ってやり過ごすことを選ぶのではないか。

ぼくの場合、ブラのヒモ発見はこれまで少なくとも数十回はあったが、一度たりとも言えたためしはない。自慢にならんが。

知人なのだから、教えてあげるのが親切だと思う。そこで多少嫌なムードになったとしても、明らかにそのほうが彼女のためだ。理屈ではそうわかっているのだが、つい保身に走るというか、見て見ぬフリをしてしまう。

でも、まだブラはいい。夏になると、もっと絶望的な状況にブチあたるのだ。腋毛の剃《そ》り残しである。何日か手入れを怠っているうちにプチプチ伸びてきた腋毛。ノースリーブを着た相手はまったく気づかずに髪をかきあげたりしている。その一瞬を見逃さず、剃り残しを発見してしまったオレの目のバカバカバカ。

言えん。絶対、無理だ。そして、その結果、彼女はヘタすりゃオフィスや通勤電車内で、男どもの好色な視線を浴び続けることになるのである。

女だから遠慮してしまう部分もあるだろう。はみだしブラの指摘は女同士なら言いやすそうだし、男女間で言いにくいチャックの上げ忘れも、男同士ならあまり遠慮せずに言えたりする。でも、それだけではない。エロオヤジと思われたくない気持ちは確かにあるが、それがすべてではないのだ。相手が男だって、初対面や知人レベルでは似たような事態が必ず襲いかかってくる。

たとえばこんなセリフをキミは躊躇なく言えるか。

「鼻毛が出てますよ」

寝癖がついているくらいなら躊躇なく言えても、鼻毛はかなりきついのではないだろうか。

あるいは、こういうのはどうだ。

「息が臭います」

きびしいはずだ。青ノリが歯にくっついているのを教えてやるのとはレベルが違う。ややレアなケースになるが、こういうのもある。

「汗くさいですね」

鼻毛、口臭、体臭。よほどキモが据わってないと言いにくい例だと思う。

これらに共通するのは、なんというか、自分のひとことが相手のすべてを台無しにする恐れを感じてしまう点かもしれない。ビシッとスーツを着こなし、髪型も万全な男が鼻毛を伸ばしているなんて、指摘されたほうはものすごいショックを受けるに違いない。

さわやかな笑顔に自信を持っているのに、よりによって息が臭うとか汗くさいなどと言われた日には、しばらく気になって仕方がないだろう。そりゃもう、顔が火照《ほて》るほど恥ずかしい思いをすることうけあいだ。

じつは、ぼくには言われた経験があるのだ。このうち、「汗くさい」だけは自分でも感じていたのでショックもなかったが「鼻毛」と「口臭」はこたえた。指摘してくれたのが気のおけない友人だったにもかかわらず、その瞬間頭に血が上り、軽い殺意さえ抱いたほど恥ずかしかった。

うろたえる、というのはこういうことかと思ったもんなあ。おまえはだらしない、スキだらけと言われたような気になったものだ。

悪いことに、これらはフォローがききにくい。ギャグで切り返すことはほとんど不可能。その場で鼻毛を抜いたり歯を磨くこともしにくい。かといって放っておくわけにはいかないので、そそくさとトイレに行って指で抜いたりうがいしたりするのである。これは自分がばかになった気持ちになる。

そんな経験を経るうちに、いつしか本人が気づかぬうちにニジミでてしまっている「だらしなさ」を、あえて口にすることを自分でタブー化しているとも言えそうだ。

しかし、後で考えていつも思うのは「あそこで教えてもらってよかった」ということである。その場では、そんな汚いものを見る目で言わなくてもいいじゃないかと思っても、必ず感謝の気持ちがわいてくるのだ。

〈あのままだったら、あの人やこの人にマヌケな姿を見せたり不快な思いをさせるところだった。それをアイツは、すんでのところで止めてくれたのだ。誰だって好きこのんで息が臭うなんて言いたくはない。そこをあえて踏み込んでの発言。親切である。友情である……〉

気づかぬ素振りで別れるのはカンタンなこと。でも、それは一見紳士的に見えて、相手のことなどどうでもいいという態度なのだ。できることなら自分もいつかは、はっきりと指摘のできる人間になりたい。いや、ならねばならぬ。ぼくは2、3年前からそう思うようになっていった。

チャンスは何度かあった。親しい人間には言えたこともある。ところが、付き合いが浅い人にはうまくいかない。意識過剰になっているせいか、口臭が気になる人に遠まわしに「内臓の調子はいかがですか」と尋ねたのはいいが、ピンとくるような人はおらず、逆に「どこか悪いんですか」と聞かれしどろもどろになる始末だった。

しかし、この秋になって、ぜひとも言いたい相手が現れたのである。それは、打ち合わせのため喫茶店で待ち合わせた、初対面の田中さん（仮名）だった。

なんとか自力で気づいてほしいが

型どおりの名刺交換をし、オーダーを済ませて視線を相手の顔に向けたとき、すでに予感はあった。端正な彼の顔を全体的にとらえたぼくの目に異物感があったからだ。普通の顔つきとは違う。ヒゲを生やしているわけではない。となると……。ぼくは少し視線を下にズラした。

鼻毛が出ていた。

思わず息を呑んだが、相手は平然とした顔で笑っている。鼻毛がちょろちょろしているなんて想像もしていないことは明白だ。いつからだろう。まさか朝からずっと。いや、途中でトイレに行くだろうし、鏡を見れば異変に気づかないはずはない。すると前回のトイレからこっち、この顔で過ごしているってことだろう。長くて4、5時間というところか。

ロコツに鼻ばかり見ないようにしながら観察すると、数本出ている。見えているのは2ミリほどで、へばりついたりはしていない。声も正常なので、風邪で鼻をかんだ勢いで飛び出したという雰囲気ではない。もともと長かった数本が、何かのはずみでタレてしまったのだろう。よくあるケース。鼻毛マンの典型的なパターンである。

こうした場合、口に出して言うのは最後の手段。時間が経過しすぎると、ぼくが気づいていないほうがヘンということになるので、できれば早めに彼自身によって気づいてもらうのがベストだろう。

いろいろ細かいことを考え、ぼくは方針を固めていった。言いにくいことのなかで、鼻毛は比較的マシなほうである。抜けば済むからだ。これが口臭や体臭だとあまりにもナマナマしくて、初対面で壁を突破するのは至難の業となる。

「田中さん、トイレとか行くなら話にはいる前にどうぞ」

いいぞ、さりげない。が、これは逆に受け取られてしまった。

「あ、私はさっき済ませましたので。北尾さんこそ遠慮なく」

さっき済ませた？　すると田中さんが鏡でオノレの顔を見たなら、鼻毛はまだ出てきたばかりということになる。傷は浅いのだ。ぼくが注意してあげれば、その場はつらいかもしれないけど、総合的なダメージは軽い。そのかわり、言えなければこの男、あと数時間は鼻毛を出しっぱなしで過ごすことになってしまうのだ。

たとえば、ぼくとの打ち合わせの後でデートが控えているとしたら、田中さんは「だらしない人ね」と思われ振られる危険がある。

身だしなみに神経質な会社の偉い人と会ったらどうか。ここでも田中さんは「だらしない社員だ」と評価を下げてしまうだろう。

大ピンチである。彼の恋愛や出世のカギを、このぼくが握っているとも言えるのだ。

責任重大である。初対面だからといって知らんぷりするのは気の毒。こうして彼に会ったことは、神がぼくに与えた試練だと前向きに考えるべきじゃないか。

そうだ。初対面なのも、このさい都合がいい。少々ショックなことを言っても、せいぜい北尾はずけずけものを言うヤツだと思われるだけ。幸い、具体的な仕事の話でもない。利害関係が生じる以前の関係だから、田中さんが嫌ならもう会わなければいいことだ。

こうした心配をよそに、田中さんはマイペースで話を始めた。今日のところはお互いの自己紹介程度、そんな気持ちでいるのだろう。ぼくは適当に調子を合わせつつ、話題が途切れて生じる空白の時間を待った……。タイミングがつかめないのは田中さんがよくしゃべるからだ。しかも話の最後が「〜なんですが、どう思います？」というように、こっちに答えを求める話法のため、唐突に鼻毛の件を持ちだしにくくなっている。ぼくにできることは、なるべく彼の顔を見ないようにすることぐらいのものだった。

いや、見たっていいんだけど、見たら笑いそうになるのだ。田中さんは、なかなかハンサムな男である。髪型すっきり、服装も細身のパンツに高級そうなセーターと気を遣っている。本来、鼻毛など出して平気でいるタイプじゃない。むしろ、もっとも鼻毛が似合わないサワヤカな風貌。それが鼻の下だけ極端にだらしないので、すごくアンバランスなのである。

初対面を意識しているのか、それとも根がマジメなのか、話の内容は堅い。ぼくにはよくわからない外国の建築家やアーティストのエピソードを盛り込み、さまざまな知識を駆使して流れるように話を展開する。田中さんはインテリなのだ。一刻も早く鼻毛なしの姿に戻してあげるべきだが、冗談のひとつもしゃべれる雰囲気にならないと、さすがに言いにくい。

ぼくはしだいに苦しくなってきた。プライドが高そうなこの人をなるべく傷つけないためにはどんな言い方をしたらいいのだろうか。

「コーヒー、お代わりしますか」

30分たったころ、尋ねられた。

「田中さん、つぎは？」

「まだ30分くらいは時間に余裕があるんですよ」

「誰かに会うんですか」

「えぇちょっとプライベートで」

すでに夕暮れが近い。デートか。

どうやら彼はまだしばらく話したいらしい。ぼくは振り向いてウエイトレスを呼び止めようとする田中さんを慌てて制し「コーヒーふたつね」と叫んだ。

そのときだ。追加注文で話が途切れ、しばしの沈黙が訪れた。いまだ、いましかない。

「あのですね、さっきから気になってるんですが」

適当な言葉を探しながら話を切りだした。

「はい。何がですか」

まっすぐにこっちを見る。視線が合う。もう後戻りはできない。自分のことでもないのに緊張感が高まり、うまく口がまわらない。

「それが……つまり田中さん。こんなこと余計な世話かもしれないけど」

「はい？」

ここまできたら駆け引きは無用。ショックだろうがなんだろうが、さっちり言わせていただきます！

「鼻毛が出てますよ」

空気が凍り付いた。田中さんの顔から微笑が消え、驚きの表情が浮かび上がる。大きく見開かれた目がぼくを見て、これは冗談なのかマジなのか読みとろうとしているようだ。

そりゃそうだよなあ。ぼくだってほんの30分前まで顔もしらなかった男から突然、鼻毛が出ているなんて言われたら、どんなリアクションをしてしまうかわかったもんじゃない。

ぼくが小さくうなずくと、田中さんはハッとしたように手で鼻を覆い隠した。そして、かすかに中指を動かして状態を確認している。

「失礼します」

勢いよく立ち上がると、彼はトイレに向かって歩いていった。

「ふぅ〜」

ため息が出る。よかった、なんとか言えたではないか。これをどう思うかは彼次第。やるべきことはやったのだ。バツの悪いムードになったら、長居せずに引き上げるのみ。

3分後、鼻毛を処理して席に帰ってきた田中さんは開口一番、こう言った。

「いやー、助かりました」

時間がたてばわかってもらえると信じていたが、こんなに早く感謝されるとは。

「この後、彼女と会うんですよ」

おぅ、やっぱり。で、彼女とは鼻毛を指摘してもらえるほどの仲なんだろうか。

「まだまだですね。ぼくだって、彼女が鼻毛を出してたら言えないですしね」


なぜ車椅子で生活することになったんだ？


この成功で自信を深めたぼくは、少し傾向こそ違えど〝自らのタブーを破り言いにくかったことを口にする〟第2弾に挑む決心をした。

1年ほど前に知り合った知人に身体障害者の山本清春（仮名）という会社員がいる。彼とはその後何度か会い、最近ではPATで馬券を買ってもらうために部屋を訪ねるなど、だんだん親しくなってきた。

ところが、ぼくは彼が車椅子生活をしている理由をいまだにしらないのである。サシで話をする機会があまりなかったせいもあるが、なんとなく彼に気を遣って聞きそびれたというのが本当のところ。もし複雑な事情があってあまり言いたくないことだったら……そう思うと消極的になってしまうのである。

一見、彼のことを思いやってのことのようだが、そうではない。嫌われたくない、そこそこうまくやっているのを台無しにしたくないのが本音。そのために障害の話題を出さないようにしているにすぎない。見ただけでは何が気分を害させ傷つけてしまうかわからず、思いがけないところで地雷を踏んでしまいかねない健常者に比べれば、身障者ははっきりその場所が表面化している。そこを避けようと思えばラクなのだ。

だけど、彼と付き合うのに、彼の特徴でありライフスタイルを決定づけている車椅子生活を抜きにするのは不自然すぎる。いろんな情報を交換しながら相手の考えや性格をつかんでいくのが通常のルートなのに、ぼくは山本君のことを競馬好きという以外、いまだにたいして知らずにいる。股間をパンパンに膨らませているのに、恋人と会っても手さえ握ろうとしない男が情けないように、ぼくの態度も中途半端なのだ。

まあデリケートな問題ではあるだろうけど、山本君はオープンな性格で、健常者に対してヘンなコンプレックスも抱いてなさそうな男である。友人でいたいと思うのなら話を聞くのが当然だし、聞かなければならない。それも、取材者のようにただおとなしく聞くだけでは不足。気がねなく障害のことを話題にしたり、できれば障害者ネタでギャグをかませるくらいのことはできるようになりたい。

決意して部屋を訪ねたが、一度目はとうとう言えなかった。彼にその手の話題を拒否する構えはまるでないのだから、こっちのせいである。きっと考えすぎなんだろうと思う。

そうこうしているうちに彼の友人がやってきて雑談になった。するとどうだろう。友人は平気で山本君の障害をネタにしてしまうのだ。たとえばコンビニで顔を憶えられている山本君が、手の届かないところにある雑誌をバイトの女の子に取ってもらえるという話がでると、さっそく友人がツッコむ。

「まったく、身障者は役得が多いな。じゃあ今度、コンドーム取ってもらえばいいじゃん。薄いのにしてね、とかいって」

「はははは、セクハラ身障者だよな、それ」

「だっておまえ、自販機届かないもんな」

「そうなんだよ。車椅子で薬局に入って、おばさんにコンドームくださいとも言いにくいもん」

「だろ。その子に頼めよ」

「考えとくわ」

たわいない会話だけど、遠慮のないやりとりが、ぼくはうらやましかった。山本君は自分のことをネタにされることを楽しみ、ときには自分で自分の不自由なカラダにツッコミを入れている。ぼくはといえば、それなりに会話に参加はできるが、完全に気を許しあっているふたりのようにはいかないし、山本君の事情を知らないのでどこまで踏み込んでもいいか呼吸がつかめない。

でも、その友人だって最初からこんなふうではなかっただろう。聞きようによっては身障者をからかっているような会話というのは、信頼関係がなければ成立しないのだ。

その次の日曜、再び山本君の部屋に遊びに行った。あいにく、その日も友達が来ていたけれど、今日こそきっちり聞いてみせる。

前回のことで、ぼくのほうからひとこと、その足はどうしたんだと聞けば教えてくれるだろうことはわかっている。もはやタブーがどうとか、勇気を出して、というほどのこともない。聞きたいから聞く、それでいいのだ。

「前から聞きたかったんだけど、どうして車椅子に乗ることになったの。事故か何かか？」

すんなり言えた。友達が、そんなことも知らなかったのかという顔でこっちを見て、オレにもそういうときがあったと言いたげにニヤニヤした。

「これは生まれつきなんですよ。生後7カ月で歩けないことがわかって、原因不明なんです」

おそらく、これまでに飽きるほど尋ねられたことなのだろうが、山本君は面倒臭がる素振りも見せずに話をしてくれた。これまで彼と話していて、いまひとつ理解できなかったことが、どんどんわかってくる。それとともに、どうして自分がいままで障害の話題を避けていたのかもはっきりしてきた。

どうやらぼくは、事情を知ってしまったら山本君に対してやたらと同情的になってしまうのではないかと独り合点していたのだ。

〈可哀想な山本君とぼく〉

みたいな気持ちになるのが嫌で、バリアフリーな彼にこっちからバリアを張っていたらしい。障害は彼という人間の一部ではあるけれど、すべてではないのだ。彼は日々の生活を被害者意識のなかで過ごしているわけでもなければ、健常者に障害を持つ人々のことをアピールするために車椅子に乗っているのでもない。会社へ行けば仕事に精を出すビジネスマンであり、女を見ればエッチなことだって考えてしまう、ごくあたりまえの独身男なのだ。

「社会にとけ込もうとしない身障者や、後天的に障害を持った人には被害者意識のカタマリみたいなのもいますよ。でも、いろんなタイプがいるってのは健常者も同じじゃないですか」

一方的に持っていたこだわりが、話しているうちになくなり、便秘が解消したときのようにすっきりしてしまった。もう、山本君とはなんでもしゃべれると思った。

このときを待っていたように、例の友人が初めて見たエロ本の話を振ってくる。

山本君のエロ本初購入は自販機だったそうだ。

「目立つから、夜に松葉杖で必死に買いに行った」

「急がないと見つかる」

「あせって転ぶ」

「身障者、エロ本自販機の前で無念の叫び！」

「やっと着いたらいいと思った本が一番上にあって手が届かない」

「もうどれでもいいからと、やみくもにボタンを押したよ」

「くっつき防止の粉がパッ」

「ゼーゼー言いながら家に戻ったらすげえ駄作なんだ」

「でも、もう一度買い直す体力はなくて、これで妥協だと」

「結局、ずっとそれに頼り切りだったりして……」

そのままエロ話は延々と続き、気がつくと山本君の部屋に来てから3時間がすぎていた。

たったひとこと、言えなかったことを口にするだけで、こんなにも気が軽くなるものなのだ。

家まで帰る途中、ぼくはひさしぶりに口笛を吹いていた。


（裏モノＪＡＰＡＮ２０００年２月号掲載）

☆

相手にいい印象を与えたい。少なくとも人間関係の失点は防ぎたい。一種の防衛本能。そんな気持ちは誰だってあるはずだ。常に捨て身でいることは簡単じゃない。しかし、そのカベを打ち破らなければならないときもある。ぼくにとって「鼻毛が出てますよ」は突破口だった。だから、その余勢を駆って挑んだ後半は、比較的順調だったと言える。一皮むけたってほどのもんでもないけど、対人面のプレッシャーが軽くなったというか。まあ、そうは言ってもその後ビシビシ指摘ができるようになったわけじゃない。昨日は頰に食べカスをつけている男がそばにいたが、どうにも言いにくかった……まだまだだな。

第三章　勝負のときはきた

皐月賞に30万円1点で挑み
JRAの封印付きの札束をモノにする

競馬ファンにとって最高の快感

初めて馬券を買ったのが17歳のときだから、ぼくの競馬歴はもう23年になる。長い。人生の半分以上である。勝つこともあるが、通算すれば間違いなく負けている。計算したことはないけど、通算のマイナスは1千万いってるのではないだろうか。

馬券代がなくてサラ金に走ったことは数えきれない。人に頼まれたわずかな馬券を呑み、よもやの的中で煮え湯を飲まされたこと。デート中、片時もラジオ中継を聞くイヤホンを外さないのが原因で女に振られたこと。ケツの毛まで抜かれたあとの最終レース、ポケットを探り、出てきた小銭で無謀な万馬券を買い、電車賃を借りるために友人の家まで歩いたこともあった。

競馬は儲《もう》からない、競馬は苦しい、競馬はアリ地獄……。では、なぜぼくは競馬をやめないのか。

「競馬はロマンだから」などとホザく気はまったくない。とてつもない幸運が訪れて、おもしろいように儲かる。そんな日が突然やってくるのを、ずっとずっと待ち焦がれているのである。それで毎週チビチビと飽きることなく23年……。

そして、98年春のG1シーズン。ガタのきた愛車を買い替えたくて仕方がないぼくは、秘かにある決意をしていた。

〈もう待ちくたびれた。幸運は自らつかみに行かなきゃダメだ！〉

いったい、何をつかみ取るのか。JRAの封印がついた100万円の札束である。JRAでは、自動払い戻し機で処理不可能な100万円以上の払い戻しに関し、高額払い戻し専用の窓口を設けている。で、そこでは100万円ごとに封印付きの札束が使用されているのだ（見たことはないけれど）。

高額払い戻し窓口に並び札束を受け取ることは、大儲けの象徴だと言ってもいいだろう。ぼくはこれまで、そういう話を他人事《ひとごと》のように思ってきたが、それがいけなかった。

ではどうすればゲットできるのか。方法はふたつしかない。
・資金を転がしながら何レースか連続的中させる。
・馬券を絞って大きく買う。

前者は少ない資金で始められるが、3レース以上連続的中させるのは至難の業。これまでに何度も失敗してきたことだ。その点、後者は1レースに全力投球するスタイル。極端な話、複勝130円の人気馬を80万円買えば100万突破だ。が、それでは大儲けしたことにはならない。ぼくはこの際、競馬における最高の快感を経験したいと思った。

〈1点勝負で札束ゲット〉

これである。1点で馬券を当てるのは、競馬ファンの理想。もっとも効率的に儲ける手段である。カンペキにレースを読み、カンペキに儲ける、これ以上の快感があるだろうか……。

4月17日、銀行から勝負資金30万円を引きだす。前述のように、ぼくのクルマは古いので、いつ壊れても不思議はない。そのため、近所の修理屋の兄ちゃんから「修理するにしろ安い中古車を買うにしろ30万ぐらいは用意しておいてください」と言われており、クルマがないと困るから今日まで忠実に言いつけを守ってきたのだ。

だが、虎の子ともいえる金を引き出したぼくの心には一点の曇りもない。勝てばいいのだ。勝って、JRAの封印がついた札束でクルマを買い直せばいいのである。

まったくオレって小心者。なんでこれまで、この発想ができなかったのかね。ぼくは封筒に入れた30万円を胸ポケットにネジ込み、ウキウキとした気分で銀行を出た。

外は雨が降っている。そして、この雨こそがぼくの自信を支えていた。なぜならこの雨、週末もずっと降り続けるはずだからだ。ということは、日曜に行われる皐月賞は不良馬場かよくて重《おも》馬場。セイウンスカイの逃げ切りが濃厚だ。

新聞を買うと、セイウンスカイの単勝は5倍前後の予想オッズになっている。人気は前走の弥生賞でセイウンスカイや一番人気だったキングヘイローを問題にしなかったスペシャルウィーク。印もこの馬が中心である。

でも、セイウンスカイは前走の弥生賞では完調じゃなかった。それでいて直線半ばまで逃げ粘り、2着に踏みとどまっている。雨なら先へ行く馬が有利。小回りの中山で、枠順も絶好の③番。大外にまわったスペシャルより断然有利である。徳吉から横山典への乗り替りも好材料だ。横山の逃げない宣言という未知の要素はあっても、鞍上（ジョッキー）強化には違いない。80％はこの馬で勝てるだろう。

それに、今年の皐月賞は馬券が絞れる。前記3頭以外にこれといった穴馬がいないのだ。多頭数になるG1は本来1点買いに向いていないのだが、今年に限っては堅い感じ。それでもG1は初心者が「好きな馬馬券」を買ったりするから、馬連1番人気でも5倍前後はつく。パドックでセイウンスカイに不安を感じたら、スペシャルとの馬連に変更してもいいわけだ。

天気予報は大ハズレ、おまけに飛び込み目撃

土曜に止《や》んだ雨は二度と降ることなく、日曜の朝は薄日すら差していた。昨夜までは、とにかく日曜に降ればいいんだと自分に言い聞かせていたが、これでは不良馬場や重馬場はのぞめない。いいとこ稍重《ややおも》である。これでセイウンスカイが勝つ確率は50%になったと思うと、動揺してしまう。雨だからこそのセイウンスカイ単勝1点勝負である。

まあいい。馬連の手もある。ぼくは待ち合わせの駅に行くべく、11時に家を出た。写真を撮るため、ライターの成田無頼が同行することになっているのだ。実際に写真を撮るためもあるが、半分はいざとなってぼくが「1点勝負で100万以上になる馬券を買う」の公約を破らないかどうかの監視だろう。

キヨスクでスポーツ紙を買い、西荻窪駅のホームに上がる。と、そのとき中年男が入ってくる電車めがけてダイブする姿が目に入った。急ブレーキと悲鳴。飛び込み自殺である。思わず現場に近づくと、切断された足が見えた。吐き気を催し、トイレに行く。飛び込みを目撃したのは生まれて初めてのことだった。

不吉だ。なんでこんな日に……。これはセイウンスカイに大枚をはたくなっていう天のお

告げじゃないのか。それとも皐月賞そのものを買うなということか。すでに、すべてをオノレの勝負と結びつけて考えている北尾である。成田と会い、西船橋からタクシーで中山競馬場まで行く間も、ぼくは興奮しているのかペラペラとしゃべってばかりいた。

午後1時、中山競馬場着。すでに場内は大混雑している。売り場を覗くと、脂ぎった馬券オヤジや競馬オタクっぽい男などが、せっせと馬券を買っていた。「5点で1万2千円になります」と窓口のおばさんが言っている。ふふふ、5点も馬券を散らしちゃって、しかも1万2千円かよ。それだけの馬券を買うのに、そんなに緊張した顔してどうすんだ。

彼らのようすを見ていると気分がリラックスしてきた。なにしろ今日のオレは30万円1点勝負の男。いつもはキミたちと同じレベルのチマチマ組だけど、本日はちょっと格が違うっていうか、そっちが条件馬ならこっちはオープン馬ってとこだもんね。オレは捨て身ででかい儲けを取りに行くハンター。細かい勝負に用はないのだ！

10分ほど、ぼくは繰り返しそんなことを考えていた。勝負まであと4レース。早くもビビりはじめているらしい自分を必死で励ますために。

皐月賞まで間があるので、30万とは別に持っていた数万で少し遊ぶことにした。万一、メインまでに資金が増えれば、より戦いがラクになる。

「たとえばさ」

隣にいる成田に話しかけた。

「8、9、10レースと連続的中したら大変なことになるぞ。30万のつもりが50万、いや80万ぐらいになって、それを皐月賞にブチこんで当ててみろ。札束がいくつももらえるよ。こういうことはないわけじゃないんだ、気楽に買うからヒョイと中穴が当たったりするんだよ。運命の日っていうのかなぁ……」

気がつくと成田は自分の馬券を買いに消えていた。ち、聞いててもおもしろくないのはわかるが、これから勝負する人間が不安な気持ちを紛らわすためについ冗舌になる気持ちをわかってくれてもいいじゃないか。まあいい。競馬はしょせん孤独な戦いだと思い直し、新聞を広げると、そこに思いがけない馬の名があった。

9レース⑥番のチーターである。チーターといえば、ぼくのテーマソングともいえる「365歩のマーチ」の歌い手。戦績を見ると前走は昇級緒戦で10着と大敗したが、その前は3、2、1着と手堅い走り、しかも鞍上は名手・岡部だ。ずっと皐月賞の検討しかしてなかったので気づくのが遅れたが、こういうのを因縁というんじゃないだろうか。

よし。ぼくは単勝と、同馬からの流し馬券を購入した。しかし、スタートから後方を走ったチーターは直線でもまるで伸びず、16頭中11着でゴール。まったく相手にならなかった。どういうことなのか。どうもこうもない、弱いから負けたのだとわかっていても、頭は皐月賞でいっぱいだから、それと関連づけて考えてしまう。しかも自分に都合よく。〈確かにチーターは負けた。しかしこれは、あれこれ考えず皐月賞のことに集中しなさいとの、ありがたい教えだ〉

そう考えると気分が落ち着いた。

しかし、次の10レースでまた難題が降りかかる。福永騎乗のユーコーカズサが直線で骨折、競走を中止してしまったのだ。つらそうにピョンピョン跳ねる同馬に手をかけ、うなだれる福永はショックを受けているように見える。

その福永は、皐月賞で有力馬の一頭であるキングへイローに騎乗することになっていた。

「こりゃ、福永は用無しだな。あれじゃ直線、追いきれないだろう」

どこかのオヤジが呟いた。

スペシャルとセイウン。これでいいのか?

いよいよ皐月賞のパドックが始まった。待ったなしの本番である。時間が経つのが早い。

1番人気⑱番スペシャルウィーク、2番人気③番セイウンスカイ、3番人気⑫番キングへイロー。3頭とも、すごく馬体が良く見え、妙なイレ込みも感じられない。気になるのはスペシャルウィークの体重が10キロ増えていることぐらいだ。

単勝はスペシャルが2倍を切り、セイウンが5倍台、キングが6倍台。連勝は3頭の絡みである③—⑱が5倍台、⑫—⑱が7倍前後、③—⑫だと17倍前後となっている。スペシャルの単勝以外なら、どれを買っても100万突破だ。

他の馬では、気になる存在はいない。弥生賞以外の前哨戦で好走した馬は、いずれも信頼できず、どう比較しても3強が上だと思う。穴人気になっているエモシオンはダービー狙いらしいし、緒戦勝ちしてないのも気に入らない。

低レベルの年だから500万クラスを勝ち上がったばかりの馬が突っ込んでくる可能性もあるけど、それを考えるとキリがなくなる。やっぱり、この3頭のうち2頭で決まるとしか考えられない。他の馬が来たら、あきらめよう。

問題は3頭のどれが勝ち、どれが2着するかだ。

もうパドックなんか見ていられない。考えろ、考え抜いて1点選ぶのだ。ぼくは床に座り込んで最後の検討を開始した。もう周囲のことも、成田がどこにいるのかも眼中になく、気持ちの余裕などどこかに吹き飛んでいた。

あせるな。有力3頭それぞれの弱点を整理しろ。
・良馬場になってしまったこと。

・福永の競走中止ショック。
・体重10キロ増。
　このうちどれを重く見るかだ。福永を切るなら馬連③―⑱の1点かセイウンスカイの単勝。この比較では、馬連のほうが堅いだろう。30万買えば配当は150万を超す。

マークシートを取りだして③―⑱を記入してみた。金が入ったポケットの封筒を取りだし、いったん立ち上がったところでオッズ板を見ると、締め切りまでまだ15分以上あるのがわかった。座り直す。どうしても、これでいいという確信が持てない。

　また考える。意識過剰かもしれないが、今日は妙な日だ。飛び込みの目撃、ナーターという馬の出走をはさんで、今度は競馬の事故を目の前で見た。なのに、事故った福永を切ろうとしている。福永はプロである。競走中止でショックを受けているのは、むしろ見ている側ではないのか。プロなら「やっぱり福永は骨折でビビって追えなかった」と言われるのが最大の屈辱のはず。ここは意地でも全力で勝ちに行くはずだ。

　キングヘイローは3番人気だが、前走では1番人気だった馬だ。勝つかどうかはともかく2着はある。そう考えると、買える馬券はキングからセイウン、スペシャル、そしてキングとセイウンの単勝。この4つだ。

　ぼくは単勝を買いたかった。もともと競馬は単勝の方が確率がいいからだ。皐月賞なら18

分の1である。これに対して馬連の組み合わせは100を超す。

だが、どうしても絞れない。どちらも勝てるとまでは言い切れない。だいいち、スペシャルがいる。この馬に勝たれたって何の不思議もないのだ。

締め切り10分前。勝負は馬連、軸はキングヘイローだと決めたときには、じっくり汗が噴きだしていた。

軸が決まったので、馬券は2種類まで絞られた。再びマークシートを取りだし、もう絶対に変更しない意気込みで、流し馬券用シートの軸馬欄にある⑫を塗りつぶす。あとは相手をセイウンスカイにするか、スペシャルウィークにするかの二者択一だ。よし、ようやくここまで追いつめたぞ。

「オレはもう決めたよ」

成田は迷わずスペシャルウィークを軸に選び、人気薄馬何頭かに流す作戦のようだ。本命サイドで収まりそうなときによくやる〝ちょいと狂えば高配当〟狙い。金額は合わせて2万ほどらしい。これはこれで的中すれば気持ちのいい馬券である。

「悩んでるねぇ。オレ馬券買ってくるよ」

なかなか決心がつかないぼくを残し、成田は窓口に行ってしまった。締め切り7分前、そろそろ決めなければ。

そのとき、ふと気づいた。キングが軸なら、相手がセイウンスカイでもスペシャルウィークでも１００万を超す買い方ができるじゃん……。

スペシャルへの⑫―⑱はこのとき6・8倍、セイウンへの③―⑫は17・2倍。前者を20万、後者を10万買えば、どっちがきても封印付きの札束が手に入るのだ。3頭の組み合わせのうち、最も人気がある③―⑱を切り、残る2点での勝負。どうだろう、これはこれなりに評価できるのではないか。

そりゃあ1点で取るのはカッコいいかもしれん。快感も凄いだろう。でも、当ててこそ競馬っていうのもあるしなあ。

押すときには押し、引くときには引く。それが処世術。それが世渡り。人生、妥協も必要だからね。無理はイカンよ、無理は。キング軸ってとこまではリスクを背負ったんだし、あとはどっちがきてもOKなように、保険をかけて、的中の可能性を倍にするのがオトナの知恵ってもんじゃないの。

汗がドッとにじんでくる。幸いなことに成田はいない。ぼくはもう1枚マークシートを取りだし、素早く記入した。スペシャルがきたら約１００万の儲け、セイウンなら１４０万の儲けだ。

だが待て、待て待て待て。もしもこれで当たった場合、どうすりゃいいんだ。１点勝負するんだと自分から言いだして結局しませんでしたってのは嫌である。それで当たっても「だからどうした」ってなもんだ。

ぼくが今回したかったのは、1点に馬券を絞り、ビビる気持ちを振り切って大金をかけ、勝つことだ。1点買いはやはり譲っちゃいけないんじゃねーの。

タメ息を吐いて立ちすくむぼくに、チータの歌声が聞こえてくる。くそぉ、人生はワンツーパンチだ。汗かきベソかき歩くのだ!

セイウンスカイが失速……しない!

キングからスペシャルで決まれば、配当金は200万と少し。オッズが17倍を超すセイウンで決まれば、なんと500万を突破する。前者なら15万、後者ならたった6万で配当金が100万以上になるんだけど、カッカしているぼくは30万全部を賭けることしか頭になかった。200万か500万か。キングを軽く見ていた今日の午後までは、こんな決断を迫られるとは想像していなかった。たぶん自分は単勝か馬連1番人気を買うだろうと思ったから30万持ってきたのである。

へどっちにしても、当たれば新車が買えるな。200万でもソコソコのが売ってるだろう。

５００万ならベンツだぜ〉

締め切りまで5分を切った。列に並び、ウンウン唸る。もうレース展開も考えられない。考えたって、勝負は前をゆくセイウンVSキング、スペシャルの後方部隊との対決だとわかりきっている。届くか届かないか、差すか差されるか、ここまできたらカンだけだ。

でも、カンなんて働かないんだよ。それに、さっきまで3頭の絡みならくろ確率は一緒だと思っていたのに、ソコソコとベンツだと思うと、ソコソコの方が確率がいいと思えてしまう。で、そうなってみると、確かに単勝１・８倍のスペシャルウィークが運を外すとは考えられなくなってくるのだ。

それにだ、このぼくがベンツなんか転がす柄か。ピカピカのベンツが似合う男か。おまえ、いいところ２００万の男だろう。いや、でもどうせ狙うならでかく５００万。それで負ければ本望という気持ちもある。たぶん、時間にすれば１、２分なんだろうけど、ぼくは最後の最後までそんなことばかり考えていた。セイウンとスペシャルの組み合わせなどなんの未練もなし。自分は50％の栄光をつかむかどうかの賭けをしているとしか思えなかった。戻ってきた成田によれば、すごい形相をしていたらしい。

締め切り2分前。ぼくはマークシートと30万円を窓口に差し出した。機械で枚数を数えたおばちゃんが無表情に差し出した馬券は⑫—⑱。ぼくが選択したのはソコソコのクルマだった。

ゲートに入るのを何度も嫌ったセイウンに希望を大きくしたところで、第58回「皐月賞」はスタートした。セイウン横山は逃げない宣言を守って2、3番手の絶好の位置取り。キングも積極的なレース運びで好位置につけている。スペシャル武豊は後方待機策。

馬券を買った段階で虚脱感に襲われていたぼくは、向こう正面にさしかかるあたりから再び興奮。直線の入り口では早くも「福永、差せ!」の声が出てしまう。キングはいい位置にいるし余力があるように見える。よし、連対はしてくれる。あとはスペシャルが届いてくれれば……。

コースの外を通ってスペシャルが伸びてきた。

「武、差せ差せ! 福永、行け!」

残り100メートル。内でセイウンが粘っている。2頭の追い込みをこらえようとしている。ゴール50メートル前で、セイウンが勝ってしまうことはわかった。そして、2者に突っ込むのがキングだということも。

③—⑫。配当1710円。なんで、そうなってしまうんだ。

終わったことをいまさらどうこう言うのはやめよう。敗因は一目瞭然。オッズにビビり、オッズの迫力にブチのめされたのだ。

今回よーくわかったのは、ぼくの器の小ささである。勇気を出してみたつもりだったけど、人間的なスケールはまだまだ小さい。これも経験。うむ、勉強になったわい（負け惜しみ）。

というわけで、ぼくはいまもポンコツの愛車に乗っている。購入の予定は当分ない。

（1998年5月号発行、裏モノ本VOL2掲載）

☆

自分なりに勇気を振り絞っての1点買いに敗れたぼくは、このままでは引き下がれないとリベンジを計画した。もうひとつの念願だった「最終レースに有り金ぜんぶブチ込む」を実践したのだ。

99年1月22日。場所は大井競馬場。メインレースまでツキまくり、3万円でスタートした資金を増やして最終で投じた額は11万7800円になっていた。数万円なら気持ちの整理もつくが、このまま帰宅したい誘惑にかられる。それを振り切っての全額投資。ポケットには80円しか残っていない。勝負である。ビビリまくりである。

結果、外した。すべては夢に終わった。競馬場から家まで20キロを絶望的な気分で歩いた。冬だったのでカラダは冷えきり、腹は減り、途中でマメができ、到着したのは7時間後。ボロボロである。

歩いている途中で、明日が誕生日だということに気がついた。時間は午後9時。「こんなみじめな誕生日はカンベンだ。なんとしても12時前に帰宅しなければ！」必死である。脚の痛さを紛らわすため、独り言を連発しながら、最後は競歩状態。家についたのが11時35分で、マメの手当てをしているうちに、いつしか時計は12時をまわっていた。マヌケである。が、そういう賭けをしてみたかったのだ。悔いはない。

それでも、手の届くところまできた快感を2度までも目前で逃したボクは意地になった。3度目のトライは2000年春の天皇賞。開業して間もないオンライン古本屋の仕入れや、個人で出版した本の印刷代支払いを目前に、まとまった金が必要だったのだ。手元にあったのは10万円。これがなくなると、いよいよ追いつめられてしまう虎の子だった。でも、ぼくは考えてしまう。増やせばいい、のだと。

天皇賞はカタそうだった。軸はテイエムオペラオーで90％大丈夫。無理せずオーソドックスに攻めれば馬券は取れそうだ。1点にこだわる必要もない。1円でも増やせればいい。いや、増やさねばまた借金生活に逆戻りだ。多少は資金に余裕があった皐月賞当時の30万円より、この10万円は重い。負けるわけにはいかなかった。馬券は2点。相手はナリタトップロードとラスカルスズカの人気馬。ぼくはナリタに厚く、ラスカルを押さえにして馬券を買う。結果はテイエムが勝ち、2着はラスカル。押さえしか取れなかった。しかも当たってマイナスの取りガミなんだからお笑いである。

3度にわたっての勇気試しギャンブル編で、わかったことがひとつある。20年気がつかなかったことだが、ぼくにはギャンブル運がとことんないってことだ。気づくのが遅い。遅すぎる。

そんなわけで、春の天皇賞以来、ぼくは決して競馬で勇気など振り絞らないようにと自分に言いきかせているのだ。

人前で自作の詩を朗読する

詩人ほど恥ずかしい商売は他にない

飛び入り。この言葉は長い間、ぼくの憧れだった。たとえばライブハウスでバンドが演奏中、客席にいた知人（もちろんミュージシャンだが）がどかどかとステージへ上がってしまうなんてシーンに出会ったことがある。

いま思えば仕込みのゲストだったのかもしれないが、手持ちのギターでブルースやなんか2、3曲やって客席に引っ込む飛び入り男は本当にカッコよかったのだ。ただまぁ腕も確かなんだけどね、この場合。

プロのレベルじゃなくても似たようなことは何度も見てきた。学園祭のステージへの当日飛び入り参加者、客席から発言するうち討論会の壇上に呼ばれ、パネラーとなってしまった客。

学園祭のステージに飛び入り参加する〝歌いたがり男〟の歌はたいていの場合、聴くに耐えないほどひどい。「オレにもひと言いわせろ！」と壇上に上がるオヤジが鋭い意見を吐いたためしもない。

で、ヘタクソめとか、そんなことを言うためにわざわざ出てくんなヨと思ってしまう。どうせ目立ちたいだけだろ、と。

しかしだ。ぼくは彼らより歌がうまくても、いい意見を持っていたとしても、前へは出ていけない。そんな度胸はないのだ。なにしろ飛び入りしたが最後、今度は自分がすべての聴衆に罵声を浴びせられる立場になっちゃうんだから。

聴衆を前に何かをする。これはかなり恥ずかしい。

「ここで飛び入りコーナーです。やりたい人は自由に舞台に上がってください」

こんな呼びかけにすかさず参加意思を表明し、注目を浴びながら何かをする。うまいヘタはともかく、度胸が試される場面である。

う〜ん、どうしようかな。ここまでは行く。思い切って出てみるかと心が揺れる。が、そこで激しいリバウンド。出てどうなる。失敗したらどうする。恥ずかしいぞ。確実に笑いものだぞ。それより見てるだけのほうが気楽で楽しいし、なにより無難だ。ま、今回はやめとくか……。

ぼくは飛び入りへの憧れを胸に秘めたまま、こんな調子でやってきた。そして、飛び込んでは玉砕する人びとを笑い続けてきた。

だが、このままではイカンと思うのである。オノレの気力体力を考えても、やるなら今だろう。

じゃあ、何に飛び入りするか。これはもう数カ月前から「やるならコレ」と決めていた。ポエトリー・リーディングである。日本語にすると詩の朗読会ってやつですか。アメリカあたりでは珍しくもないイベントらしいんだけど、日本でも最近ジワジワ行われるようになってきているようなのだ。

で、この一形態として、素人飛び入り参加OKのものがあり、自作の詩を持ちよって客の前で読むというのがある。NHKのドキュメンタリー番組で放送されたりしたので、目にした人もいるだろう。あれならぼくにも飛び入り可能だと思ったのである。

恥ずかしさを克服するという点でもポエトリー・リーディングなら申し分ない。なにしろ人前で、自分が作った詩を声を出して作者が読むのである。

当然、客は詩が好きな人びとだろう。そこで繰り広げられるのは、魂込めて作った詩を読む詩人と、心震わせる詩や詩人を求める愛好者たちのガチンコ勝負。静かな空間に響く声と、読み手を見つめつつ内容を吟味する客……これはたまりませんよ。自分がそれをやると考えただけで赤面っス。

だってさあ、詩だよ、詩人だよ。詩人の方々には申し訳ない、悪意なんかないんだけど、個人的には、これほど人に言いづらい職業は珍しいと思う。たとえば女のコに尋ねられたらどうするんだ。

「何をやってる人ですか？」

「詩人です」

「は？」

「詩人なんです」

「は、はぁ……詩人さんですか」

変わり者だと思われても女のコを責めるのは酷な気がする。だいいち職業を聞かれてためらいなく「詩人」と答えるだけで、いまの日本では相当の開き直り、ガッツというものを要するのではないか。多少なりとも照れというものが残っているなら、つい「詩、いやまぁアーティストってところかなあ、あっはっは」と逃げるくらいが精いっぱいではなかろうか。

詩人という言葉につきまとう、自意識過剰、ナルシシズム、唯我独尊、ひとりよがりなイメージが、素直な告白ってもんを許さない。それほど、職業＝詩人の壁は厚く、一般性がない。

詩人ではなく詩ではどうか、趣味は詩を作ること、うわぁモテなさそう。なんだかドロドロした情念の世界をさまよっている感じがする。さもなくばメルヘン。ポエムの世界。どっちに転んでも他人を疑心暗鬼にさせてしまいそうな、デンジャラスな趣味である。

とまあ、こうした一方的な印象からこれまでの人生、詩だけには近づかずに生きてきた。そのぼくが飛び入りする場が、なぜポエトリー・リーディングでなければならないのか、それは、以前に一度、客としてリーディングを聴く機会があったからだ。

それは想像を絶する恥ずかしさだった。だってさ、若い男がうっとりした顔で、こんなこと言うんだぜ。

〈ニューヨーク　55番街あたりでぼくにペーパームーンが挨拶する　ハロー！　ビートニクケルアックの歩いた路上　ぼくは何かを探して歩き続けてる……〉

思い出せないからいま作ってみたんだけど、ざっとこんな感じのが延々と続くと考えてほしい。聞いてるだけでムズムズしてくるような、腋の下から汗が流れるような気分だった。

それでぼくとしては、これはいったい何だって思ったのだ。何がニューヨークだよ、少しは自分の言葉でしゃべれよ。オレだったらいくらなんでも、そんなのは恥ずかしくて人前に出せないよ……。ここまではいつものことだ。

でも、こうも思ってしまった。そうは言ってもあの男は人前で堂々と詩を読み上げているではないか。客席で恥ずかしがりながら心で冷笑し、読み終えるとさりげなく拍手までしているオレよりは、あの男の方が度胸もあり、マシと言えるのではないか。客席のなかにはあの詩にシビレている人だっているかもしれない……。

高熱にうなされながら、なんとか詩らしきものを

暮れも押し迫った98年12月22日、高田馬場の某カフェでポエトリー・リーディングが行われるとの噂を聞き、秘かに出る気でいると、編集部オガタから電話がかかってきた。

「クリスマスのころには原稿上げてほしいんだけど取材済んだ？」

「いや、まだ」

「困るな。で、何やるんだよ」

「それは……秘密だ」

本当に言いたくなかった。終わってから言おうと思っていたのだ。

「おいおい、どうせわかることだろ。担当のオレには教えろよ」

「……わかった。笑うなよ」

「笑わんよ」

「詩を朗読しようかと」

「何、詩って、詩人の詩か？」

「そうだよ」

受話器からオガタの豪快な笑い声が聞こえてきた。くそ、やはり。

「それ、めっちゃ恥ずかしいじゃん。わはは、よくぞヤル気になったなあ。わかった、オレが撮影に行くよ」

え、それはイカンよ。キミにはきてほしくないのだ。

「何を言ってるんだよ。写真がないと誌面が作れないだろ。いい詩を作れよ。楽しみにしてるからな」

最悪の展開になってしまった。だが締め切りも近いし、他に選択の道もない。やるしかないのだ。

参加するには詩を書くことが必要だが、なにせこれまで詩など書いたことも書きたいと思ったこともないぼくに何が書けるのか。

客の立場から思っていたことは、好き嫌いはともかく、聴くなら作者の本音がにじみでているようなものがいいということだ。同じ恥ずかしいなら、どうしようもなく書き手が顔をのぞかせてしまう恥ずかしさのほうがマシである。「キミにキスしたい」より「キミの股を広げたい」のほうがいいと思う。うんうん、そうだそうだ。

あと何が言いたいのかはっきりさせることも大切だな。抽象的な言葉遊びみたいなのはつまらんからなあ。

だが問題は書くだけではなく、読まねばならないことだ。前に出てライトなんぞも浴びるのだとしたら、顔も年齢もバレバレだしなあ。いくら目標は飛び入りすることにあるとしても、中年男が読む詩として少しはリアリティがないと聞くに耐えないだろう。

1行も書くことができないまま時間が過ぎる。年末の仕事に追われていたのも事実だが、詩は書きたいという欲求が高まらないとまったく書けないものらしい。

原稿書きを生業《なりわい》にしてるんだから詩ぐらいヒネリ出せるだろうと思うかもしれないが、そんなものでもないのである。おまけにカゼで寝込んでしまい、当日の昼になっても39度近い熱がひかない。

午後3時。ぼくのノートはまだ白紙だった。それどころか4日も風呂に入っていないため頭はカユいしカラダはベタベタだしで不快感100％。まずい。このままではリーディングに参加できない。

伝えたいこと、表現したいことすらハッキリしないのに、詩を書くなんて無謀だったのだろうか。ぼくには詩なんて向いていないのだろうか。

絶望的な気分になりかかっているとき、あの歌声が聞こえてきた。

〈幸せは歩いてこない　だから歩いていくんだよ〜〉

Ｏｈ！　チータ。

そうだ。日頃考えてもいないことを無理やりやろうとするからいけないんだ。チータの教えを胸に刻んでやっていく、そのことをストレートに書けばいいんだ。

こうなったらカゼ悪化など怖がってはいられない。追い込まれたぼくはシャワーを浴びて髪を洗い、書き慣れたワープロの前に座った。風呂場で浮かんだ出だしの言葉をまず打つ。あとは思い浮かんだ言葉をどんどん続ける。

そして、なんとか詩らしきものができた（１８９ページ参照）のは夕方4時半。オガタとの待ち合わせ30分前だった。

6番目にエントリー。誰の後で読むのか

6時開演と聞いていたので会場着は余裕を見て5時15分。だが、カフェ営業をしているだけで、参加の受付は主催者が到着してからだという。そこでいったん店を離れ、喫茶店で詩をチェック。といっても、いまさらどうしようもないんだけどね。

ただリーディングは一種の言語パフォーマンスである。詩の良し悪《あ》しはもちろんだけど読み方とか声の質、表情、しぐさなど、総合的な表現力で客のノリも決まってくる。ノドがガラガラで発声練習ひとつできないのは仕方ないとして、後の部分をどう表現すればいいのだろうか。

「やはり激しいアクションとかあったほうがいいかな」

相談したって、オガタも詩には無縁の男。だが、発熱と本番への緊張で客観的判断ができなくなってきているぼくは意見を求めた。

「絶叫だろう。悲痛な叫び。それしかないよ」

さっきから何度も声が出ないと嘆きまくっとるというのに、こいつ、人の話を全然聞いてないな。もういい、詩は1本。せいぜい3分だ。暗記もしてないから紙を見ながらリーディングせざるを得ない。

つうことは空いてる右手をうまく使って、いやマイクをつかんだほうがいいか、それともむしろグッと腰に手を当てて威風堂々と……。

「硬くなってるねえ。なにせ詩人デビューだもんな」

うるさいなあ。

「もう遅いよ。そろそろ行こうぜ」

会場へ戻り店に入る。さっきより人が増え、テーブルの空きはひとつしかなかった。数人の外国人をはじめ、50人ほどの人がいる。誰が詩人なのか知りたいが、見ただけではわからない。受付も始まってないみたいだし、オガタと話をして時間を潰す。

6時になったところでようやく主催者が準備を始めた。今日は8時スタートのはずだったのが、店との連絡行き違いで6時と発表されたのだそうだ。そのため、リーディングの開始時間は7時にするとの説明があった。

あと1時間か。雰囲気もつかめないうちに始まるのは嫌だけど、せっかく上がっていたテンションが低下してしまうのが心配だ。ビールでも飲もうにも、この体調では気分が悪くなってしまうだろう。ぼくはソーダを飲みつつ、ぼんやり場内を見回していた。

「お待たせしました。リーディングを希望される方は、これから受付を行います」

6時半を過ぎたころ、ようやくエントリー開始。スタッフの声と同時に立ち上がったのは、黒スーツの男（推定43歳）と、寂しそうな顔をした30代後半と見受けられる女性の2人だ。特に黒スーツは気合いが入っており、全身から殺気のようなものを漂わせて、ぼくの脇を擦り抜けていった。

「やっぱりきたね黒スーツは。あの女性も期待できそうだよ」

オガタがうれしそうに言った。この男は生活感あふれる絶叫詩が聞きたいらしい。いいよな、気楽で。ぼくなんか、そんなことより何番目にエントリーするかで頭がいっぱいだ。

できれば客が雰囲気に慣れてきたところで登場したい。狙い目は6、7番目。プロみたいなのが大拍手をもらった後などはヘタが目立つから、素人っぽい人の後が理想だ……。熱があるわりに考えが細かいね。

だが、この作戦は失敗した。エントリー状況を確認しに行くと、1番目も2番目も空欄なのである。前後半10人ずつの出場枠を早い順に自由に選ぶシステムだったのだ。

後半までは体力が持たないから、ぼくは6番目にエントリー。5番目はまだ空欄。誰の後で読むのか、これでまったくわからなくなった。

出だしを呟いてみる。うまく読めるかどうかは最初の2、3行で決まる気がする。逆に最初でつまずいたらアセってしまい、立ち直るきっかけすらつかめないまま、みじめに読み続けなければならない。それだけは避けねば。

「あれ、北尾さんじゃないですか」

重苦しい気分に浸っていると声を掛けられた。振り向くと、ぼくにポエトリー・リーディングのことを教えてくれたSさんである。

「聴きに来たんですか」

「いや、読みに」

「え、そりゃ楽しみだな」

ヤバイよこれは。オガタ以外の知り合いがぼくの詩を聞くなんて考えてもみなかった。平静を装ってはいるものの、ぼくはこれまでと種類の違う緊張感を感じた。

ほかの人はどうなんだろうか。周囲を見渡すと、黒スーツはうつむいて詩が書いてあると思われる紙に静かに目を落としていた。もう1人、黒スーツと同時にエントリーした女性もノートを見ている。

あとは誰が参加者かわからないが、特に緊張しているような人は見当たらない。何人か、以前のリーディングで見た顔がいるのは若き詩人たちだろう。

読んだ、震えた、拍手がきた

場内が暗くなったのは7時過ぎ。主催者の挨拶で、いよいよ勝負のときが来た。トップバッターは若い男。クリスマスをモチーフにした、けっこう長い詩を淡々と読んでいく。客の立場だったらもう少し情感をつけて読めばいいのにとか思うんだろうが、今日のぼくにそんな余裕はない。

ぼくが見ていたのは段取りである。男はまず名を名乗り、少ししゃべってから詩の題名を言い、読み終えるときちんと礼を言った。悪くない。これを参考にさせてもらおう。

ステージにはマイクがあり、ピンスポットが当たるので表情まではっきり見える。紙を持つ左手が震えたら緊張感が丸わかりになるだろう。左手に注意だ。

2番目の黒スーツはオガタの予想どおり激しい口調で委細構わずがなりたてるようなパフォーマンスを見せた。挨拶なし、「無題」のひと言で始まった詩の内容も「オレは詩人、狂ってる」「女を後ろから犯す」「世の中最悪だ」「文句があるならいってみろ。言えないだろ」といった檄文調が延々と続く。途中、いったん休んで「2番」と叫び、ハイテンションで吠えまくる黒スーツだったが、客席はどんどん寒々としてしまった。

続いては例の30代後半さびしげ女性が「初めてです」と断って短い詩を披露。この人は4番目にエントリーしていたはずだから、5番目が空欄のままなら次はぼくである。

ぼくは目を閉じ、深呼吸を繰り返した。

「――私は考えるだけ。それしかできない……以上です」

女性が朗読を終え、拍手が起きる。よし、行くぞ。行くんだ北尾。おまえはできる、できる、できる、よっしゃー行ってこい！

「つぎはニューヨークから……」

あらら。勇み足だったよ。しかもこの黒人ニューヨーカー、客に手拍子を要求しつつ英語でラップなんぞ始めやがった。おいおい、せっかくの緊張が解けるじゃないかと思いながら、ノリのよさに負けて手拍子したぼくである。

さらにここで主催者がちょっとした話をしたため、少し間が空いてしまう。そして再び気合いを上げようと必死になっている途中で名前を呼ばれてしまった。うわ、きちゃったよ。

「は、はい」

ぼくは立ち上がりステージに向かった。ここまできたら読むだけだ。とにかく読み間違えずに最後まできっちりやってみること。それで座がシラケたとしてもしょうがない。幸い、今日は初めての人が多いと主催者も言っていた。淡々と読む者あり檄文ありラップありでここまできた。ぼくはぼくなりにやればいいのだ。

「北尾です。ぼくも初めてです」

挨拶し、数分前につけたばかりの題名を口にしてから、ぼくは詩を読み始めた。

きらわれたくない　北尾トロ

スタイルのいいオネエチャンが向こうから歩いてきて
値踏みするようにぼくを見て薄笑いを浮かべると
顔や胸のふくらみや脚を見たいという欲望を
見すかされたような気分になるんだ
それがおもしろくないぼくは
彼女の上げ底の靴を心でなじる
いったい　そのマヌケな格好はなんだい
だけど結局ぼくは　視線も合わせられずスレちがうだけなんだ
駅前で歌を歌っている若い男の前で立ち止まってしまったのがいけない
男は唯一の観客であるぼくに向かって
退屈なバラードを歌い始めたんだ
曲が終わると男は　どうでしたかと聞くので
正直によくないと言うべきだと　思うのだが
愛想笑いで帽子に100円を投げ入れてしまうんだ
目の前で詩人という人がわけのわからない言葉をよみはじめ
ビートニクがどうしたニューヨークがどうしたと
しきりに叫んでは得意そうな顔をするんだ
そんなの関係ないじゃん　それより君の生活の話でもしてくれよ
だいいちぼくはビートニクなんかより水前寺清子のほうがいいと思うな
人生はワンツーパンチだ　汗かきベソかき歩くのだ
と思うのだが　やっぱりまわりにつられて拍手をしてしまうんだ
でもオネエチャンや音楽家や詩人のせいにするのは　まちがいだ
誰からも嫌われたくない弱い人間のぼくは
誰からもたいして愛されない人間に
なってしまっているのかもしれない
それで今日　ぼくはオネエチャンと視線を合わせながらここへやってきて
初めて書いてみた詩を読んでいるというわけなんだ
帰りに駅前でつまらない歌を聞かされても
もう金なんかあげるつもりはない

1行目クリア、2行目もクリア。客の反応はまったくわからない。わかるのは、自分の足がすくみ、声が上ずっていることだけ。左手はときどき動かさないと少し震えてしまう。

途中で一度、間を取ったときにチラッと頭を上げて場内を見たけれど、あとはずっと紙を見ながらリーディングを続けた。表情を作るなんてワザはすぐできないとわかったからやめた。右手はどうしていたんだろう。右手で何かすることとすら、ぼくはすっかり忘れていた。

読み終わるとうれしいことに拍手が来て、ぼくは「どうも」と頭を下げて席に戻った。

「けっこう、よかったよ」

オガタが神妙な顔で言う。ヤツによればカゼで声が低くなっていたので、上ずっては聞こえなかったらしい。余計なパフォーマンスをしなかったのも、落ち着いているように見えたらしい。カゼで力が入らなかったのがいいほうに出たみたいだ。

「とっ散らかった詩になるのかと思ったら、うまいことまとまってたじゃないですか」

Sさんもホメてくれる。

意外だ、じつに意外だ。思ったより好評なのである。聴いているほうが恥ずかしいとか、ハラハラしたと言われるかと思っていたのに。ぼくは安堵感でしばらく放心状態になってしまった。

その後しばらく他の人の詩を聞き、休憩に入ったところで店を出た。明らかに熱が高くなっている。軽く39度は超しているだろう。

帰ろうとすると出口のところで主催者も声をかけてくれた。

「言いたいことがわかりやすくて、よかったですよ」

ぼくが体験したポエトリー・リーディングは、詩のイメージにありがちな狭い世界を感じさせるものでもなければ、こむずかしい理屈も要らない、とてもオープンで気持ちのいいイベントだった。そこで詩を読む人も人それぞれで、肩に力の入った黒スーツのような人は少なく、みんなリラックスして楽しんでいた。

やってよかった。人間、やればできるということがわかった。ぼくはノートが入ったバッグをポンポンと叩き、この詩は捨てずに取っておこうと思った。

（裏モノＪＡＰＡＮ１９９９年3月号掲載）

☆

詩が暗いとか、リーディング・イベントには自意識過剰のヤツラが集まるものだという先入観がなくなってみると、詩はけっこうおもしろいんじゃないかと気持ちが変化した。で、まさか二度と読むこともあるまいと思っていたにもかかわらず、このとき見にきていたSさんが自ら主宰するイベントに「出てみないか」と声をかけてきたとき「いいですよ」と返事をしてしまった。

捨てずに取っていた詩だけじゃなく、新作を1編作り、合わせて2編の朗読である。それなりに緊張したが、アガルこともなく、今度はちゃんと声も出せた。

こうなると、詩が身近に感じられるようにもなるし、イベントで否応なく聴くことになる詩人たちのなかに興味をそそられる人もいて、気が向くと聴きにいくようになってくる。また知り合いができる。また聴きにいく。そうやって、ぼくは現在のポエトリー・シーンに足を踏み入れていった。

再びSさんの要請でイベントに出演したのは2000年の冬。このときには新作を増やし、全部で4編も読んだ。詩を作ったり読んだりするなんて死ぬほど恥ずかしいと思っていたこのぼくがである。

さすがに、やってみると限界をすぐに感じ、以後は自分で読むより聴く側にまわっているが、詩へのイメージは以前と比べて一変しているから人生なんてわからないもんだ。

「42歳フリーライター」の値打ちを就職試験に問う

世間はぼくをどう見るのだろう

一度でいいからサラリーマンを経験しておけばよかったと思うことがある。ボーナスをもらってみたいとか、職場の人間関係がどんなものかとの興味もあるし、通勤電車に揺られたり残業したりというのがどんなものなのかも体験してみたかった。ぼくは就職経験が皆無なのである。

しようと思ったことは二度ある。最初は大学4年の秋。映画が好きだったので「にっかつ」に履歴書を送ったのだ。制作の募集はなく、営業職というところにノリきれないところはあったが、入ってしまえば制作になれるだろうと根拠なく考え、試験前夜に内田裕也主演の公開作品を観て気分を高めた。

ところが、映画館を出たところでなぜかケンカに巻き込まれ、血だらけになってしまった。

歩いていただけなのに、目つきが悪かったのか、チンピラ風の男にいきなり殴りかかられてしまったのだ。翌朝は片目がつぶれ、口元もしゃべれないほど腫《は》れてしまい、なんだか急に面倒になりキャンセル。

二度目は卒業間近。実家から、とにかくチャレンジぐらいしろとハッパがかかったのである。それで新聞広告で適当に応募し、面接もクリアして採用されることになった。出版社の子会社で、百科事典かなにかのルートセールスの仕事だ。いまじゃそんな仕事もないのかもしれないが、当時はまだ百科事典にそれなりのニーズがあったのだろう。

研修初日の昼休み、ぼんやりしていると中年の主任とやらに将棋をしようと誘われた。気が進まないまま対局したら、最初はぼくが勝ち2局目は敗戦。するとネチっこく「もう一度やって決着をつけよう」と言う。昼休みも終わりかけているのにである。

その将棋が煮えきらない長考型でグチっぽいとくれば、こっちはどんどん勤労意欲を失うばかりだ。チャイムが鳴ってもやめようとしない主任を見て「こんなヤツの下で働くのはイヤだ」と思ったので、終わると同時に「辞めます」と告げてとっとと帰宅してしまった。

その後は週払いのバイトで糊口をしのぎ、後輩に紹介された編集プロダクションのバイトを数カ月で辞め、フリーライターになった。以後はずっと原稿を書いて生活している。99年秋からオンライン専門の古本屋を始めたものの、まだまだ趣味的である。

そんな生活をしているとどうしても世間が狭くなる。日常的に顔を合わせるのは業界人がほとんどだし、友人関係も自然とそうなってくる。かつての友人たちとは時間が合わない、話題が合わない、たまに会っても昔話しかしないのではつまらない、との理由でしだいに疎遠になってしまった。

仕方のないことだ。いまの生活が不満なのかと聞かれたら、そんなことはないと答える。ただ、ときどき思うのだ。出版業界のなかだけをみれば、なんとなくベテランってな扱いを受けたりもするけど、世間一般のなかで自分はどんなポジションなのかと。ニュースで同年代のサラリーマン平均年収などが伝えられても別の社会の出来事のようで全然リアリティないもんなあ。

「フリーライターですか。いいですねえ、自由で」

これまで、さんざん聞かされたセリフだが、その仕事を辞めて、ただの42歳の男になったとき、世間はぼくがやってきたことをどう評価するのだろう。正直なところを知りたい。

就職活動をしてみればわかるはずだ。失業率の高いいま、冷やかしで就職活動するのは失礼だとも思うが、彼らの職を奪うわけではないし、一度でも面接を受けられればそれでいい……。ぼくはこの春から日曜日ごとに朝日新聞の求人欄に目を通すようになった。

ところが、思った以上に現状はシビアである。求人欄を埋め尽くす広告の大半は年齢制限で応募資格なし。残りの多くは高齢者向きの、魅力に乏しい仕事なのだ。自分が求める仕事を見つけ、そこでの評価が聞きたいのだから、これでは話にならない。

２０００年６月後半、ぼくは新聞に見切りをつけ、職安（ハローワーク）へ足を運ぶことにした。

職業を聞くなり相談員は沈黙した

職安は新宿エルタワービル23階にあった。静かだから切迫感を感じないが、ときどきタメ息が聞こえたりして、空気は重い。

初めてきた人間は登録申し込みが必要なのだろうかと受付に近づくと「求職ですか」と尋ねられた。うなずくと札を渡され、番号が合致するパソコンで調べろと言う。

室内はパソコンだらけで、みんな黙々とキーを叩いている。画面表示に従って求人情報を調べ、求人票が5枚までプリントアウトできるシステムなのだ。

情報を見るには男女別、年齢と希望給与額、希望職種、業種、エリアなどをインプットする必要がある。さて、どうするか。まず希望給与額だが、42歳なんだからと強気に45万円としてみた。

つぎは職種。フリーライターなんてツブシのきかない仕事なのだから、営業ぐらいしか思いつかない。探せば出版・印刷関係もありそうだが、いまの仕事を辞めるとしたら別の職種がいい。うん、営業だ。業種はサービス業でいいかな。エリアは23区と都下。よし、GO！

えーと、条件に合致するのは……10件だ。少ないだろうとは予想していたが、たったこれだけなのか。しかも、詳細を見ると条件として「管理職経験者」と書かれているものがほとんどである。残りも給与は30万〜50万などとなっているが、よく見ると基本給は安くて歩合制が導入されている。業種を変えても傾向は同じだ。

そうか、ボーナス。ボーナスを忘れていたね。これがあれば給与40万でも悪くない。が、出てくる数は多少増えたものの、内容は似ている。業種を変えても同様。質は一緒。42歳営業職に世間が求めるものは豊富な経験、できれば管理職キャリアなのだ。

この日は夕方で相談窓口の受付が終わっていたので、翌日の午後、出直すことにした。方針が間違っているのかも知れないし、ここは待たされたとしても指導を仰ぐのが得策だ。

椅子に座り、順番を待っていると、目の前の席にまだ10代に見える少年が座った。どうやら家出でもしてきたらしく、現住所なし、職歴なし、特技なしの三重苦。おまけに本人にもやる気が感じられず、ハナっからふてくされた態度である。

しかし、相談員は粘り強く説得を開始。そんな態度では仕事など見つからないことを、時間をかけてわからせてゆく。そして、最後には目にうっすら涙を浮かべ「がんばります」と少年に言わせてしまった。仕事とはいえ熱心さが感じられ、じつに頼もしい。これなら、ぼくも的確なアドバイスが受けられそうだ。

やっと順番がきた。窓口で「フリーライターをしているが食えないので仕事を探したい」と嘘をつき、サラリーマン経験がないので営業職にトライしようと考えていることや家族構成など、あとは正直に現状を伝えて反応を待つ。

「42歳ですか。キビシイですよ」

相手の第一声はこれだった。ぼくとしては、ここで「おもにどんなジャンルで書いていましたか」と尋ねられることを想定していたのだ。でも、相談員はそんなの無視。いきなりウイークポイントである年齢について切り込んできた。

「収入の希望は？」

「45万……いや、40万あればなんとか」

「う〜ん、それではほぼ見つからないでしょう。まあ30万、事情はあるかと思いますが、未経験ということですし、できれば25万くらいで探さないと」

おいおい。25万ってのは安すぎないか。それでは生活できないよ。そこまで妥協できないと強気で言うと、相談員は資料を出してきた。

「これが現実なんですよ」

示されたのは35〜44歳の求人率。数字は求職者数と求人数がほぼ同じ。100％ほどだ。ところが、さらに細かく年齢別に見ると40歳を境に求人数は大きく変わり、求職者のせいぜい半分にまで下がるのだ。45歳以上になるともっとひどく、25％程度だ。

「42歳というのは、そういうことなんです。ですから、できるだけ幅を広げて探さないとね」

相談員は親切だったが、言いたいことはつぎの3点のようだった。
・金は二の次。仕事にありつくことをまず考えよ。
・職種、業種を選べる歳ではない。
・フリーライターであったことはキャリアのうちに入らない。
相談が終わるとパソコンに向かって希望給与30万（いくらなんでもと思ったのだ）で2社を選び、紹介状を出してもらった。これを面接のときに見せるというわけだ。そのうちの1社はとくに条件もうるさくないから脈ありに思える。

思えば、このときまでのぼくは相談員にきついことを言われても半信半疑だったようだ。電話をかけるときも頭のなかは面接が決まったら着るものを買わなければとか、気に入られたらどうやって断るかとかばかりだった。

だが、そんな心配は無用。相手は面接どころか、ぼくの職業を聞くなり沈黙し、来なくてもいいと言ったのである。

「会社員ではないんですね。それでしたら、うちではちょっと難しいですね」

驚いた。ここでも相談員と同じく、フリーライターであることがマイナスに働いたのだ。ライターなんてどうでもよくて、フリーでもう失格。人間性以前に、相手にとって、ぼくは単にわけのわからない自営業の42歳でしかないのだ。

ちなみに、ぼくが応募したのは清掃関係の職員。特別な資格もキャリアも必要とは書かれていない。いったいどうなっているのだ。

悪いことは言わない。タクシーに行きな

意気消沈して再び検索したものの、疲労感が激しい。自販機はないかと通路に出ると喫煙所があった。コーヒーを買い、タバコに火をつける。と、そばで一服中のオヤジたちが仕事が見つからないとか、バイトを休んだかいがないなどと嘆き合っている。お互いを愛称で呼び合っているところを見ると常連のようだ。

情報収集でもできればと会話に参加しようとしたが、ぼくに対しては愛想が良くない。しかし、何かの拍子で年齢がわかると、途端に態度が変わった。

「てっきり30代かと思ったよ。42なの、そう、42ね。ないよ。まずないから、なあ」

「2年は通うつもりでいたほうがいいね、ははは」

にわかに活気づくオヤジたち。新入り歓迎ムードだ。

「で、何やってたの？」

「出版関係。といっても、自営ですけど」

「だめだな、だめだ自営は。で、（探す）職種は？」

「営業……ですかね」

するると、話を聞いていた別のオヤジが、出番とばかりに話し出す。

「だめだめ、ないない。オレなんて営業一筋22年だよ。三十数社受けてるけど、感触あるのは前と同じ業種だけだもの。同じ営業でもまったく相手にしてもらえない。営業経験ない人間なんか、まず使わないって」

そうそう、とオヤジたちから声が上がる。未経験がなんとかなるなら、自分たちはとっくに就職できてるよと。

「悪いこと言わない、タクシーに行きな」

「そうだよ。タクシーでマイペースで働いたほうがいいさ」

どうやら、ここではタクシー会社が最後の砦という感じらしい。では、どうしてオヤジたちが踏み切れないかというと、なんとかキャリアを活かせればと思っているからだ。冴えない風貌に見えても、ここにいる大半はホワイトカラーの元サラリーマン。年齢からいっても管理職だった人が多いのである。雇ってさえもらえれば、それなりの仕事をする自信はある。そう思って1年も2年も通い続けるオヤジたち。しかし、今日まで彼らを雇う会社はなかった。

するとどうなるのか。彼らのなかには妻子を実家に戻し、バイトで食いつなぎながらひとり暮らしを余儀なくされている者もいる。母子家庭のほうが福祉の世話になれるからと偽装離婚している人もいる。でも、追い込まれているからといってレベルは落とせない。給料の安い仕事についたら家のローンが返せず、さらなる苦労を背負い込むだけなのだ。悪循環である。

不安と失望の日々を過ごすオヤジたちにとって、この喫煙スペースが唯一のオアシスなのだろう。初対面のぼくに、こんなことまで教えてくれるのも、仲間意識があるからに他ならない。〝冷やかし〟のぼくは、いたたまれなくなってその場を離れた。

つぎの日。朝から職安へ行き、タバコを吸っていると「おう」と声をかけられた。

「その意気だよ。毎日くるのが基本だからなあ」

高齢組をまともに相手してくれるのは職安しかない。細々ながら日々更新される情報に望みをかけて日参すべきだとバンちゃん（仮名・50歳）は力説する。

バンちゃんは朝イチと午後2時か3時頃の更新直後に必ずパソコンを見るという。これまで受けた面接は20社ほど。すべて落ちたが望みは捨てていない。というか、ここにすら来なくなったらもう終わりだと思っている。

「いつ、いい求人があるかわからないだろ」

弱りがちなオヤジたちの気持ちを支えているのは、長期間ここに通った挙げ句、就職先を決めた先人の存在だ。バンちゃんは、2年通ってビール工場の管理部門に再就職したオヤジがいることを語ってくれた。抜けていく仲間がいることは、自分にもチャンスがあることを証明してくれる。明日への希望というヤツなのだ。

けれど、そんなのはごくわずか。喫煙所付近の雰囲気は、オヤジたちが陽気にしゃべればしゃべるほどブルージーになっていく。彼らが発散する負のエネルギーに巻き込まれてしまいそうだ。

それでも、しゃべる元気のあるオヤジはまだいい。よく見ると、うなだれて座り込んでいる男もけっこういて、その人たちは会話を楽しむ余裕もなくなっている。ぼくは、彼らが1カ月後、新宿中央公園で寝泊まりする生活に突入しても驚かない。すでに彼らは消耗し、精神的にも経済的にもスレスレのところにいるのだ。

「深刻だなあ」

つい呟くと、バンちゃんがそのオヤジをからかった。

「いまにも死にそうだって言われてるぞぉ」

すると、うなだれ男がガバッと立ち上がり、顔を真っ赤にして怒り始めた。

「死ねるもんなら死にたいよ。殺してくれよ!」

いまにも泣き出さんばかりである。ぼくはオロオロし、オヤジを直視できなかった。しかし、慣れているのかバンちゃんたちは平然とした様子。また始まったよと笑い飛ばして、そういえば2年以上通って無理がたたったのか病死した人がいたなどと話している。

凄い。ハイテクを導入した職安、うわべはクールだが中高年齢層はよほどのことになっている。

〝ハローワーク〟なんて名称、悪い冗談としか思えない。

フリー。それは失格者の烙印

再びパソコンの前へ。遅ればせながら自分の立場がわかってきたぼくは、警備・清掃関係に絞って検索を開始した。昨晩、じっくり考えた末、営業は捨てたのである。

ライターをやっていてさえ売り込みが大の苦手なのだから通用するはずがないし、給料が良くてもやりたくない。もしライターを廃業して仕事を探す場合、小さな望みは人の役に立つ、現場の仕事だと思った。ぼくはこれまで直接的に人の役に立ったことがないのだ。

〝冷やかし〟だからかもしれないけど、納得できる給料が無理ならば、せめてやりがいを重視したい。足りない金は古本屋でなんとかしよう。そのためにも、目先の給料より人の役に立てて、時間のきっちりした仕事を選ぼう。

希望金額を25万に下げると、それなりの数が出た。そして、ひとつだけ「ここなら」と思える会社を発見したぼくは、紹介状をもらうと家に帰り、新しい履歴書を作成した。喫煙所オヤジに、給与希望など具体的な数字を書くのはタブーだと教えられたので修正したのだ。

求人票に書かれてあることをまともに信じては泣きを見る。求人票の労働条件を信じるな。面接でも「御社の条件で結構です」で貫き、数字は口にしないのが鉄則だそうだ。

求人票には面接随時、即決と書いてある。仕事内容は鉄スクラップなどの加工処理。自治体リサイクル品の受け入れを行っている会社だ。

メリットは通勤時間が30分以内であることと、〝週40時間労働制への移行を指導済み〟と書かれていることだ。つまりそれだけ自分の時間が確保できる可能性が高い。〝フォークリフト経験者優遇〟とあるのが危惧されるが、これは熱意で押し切るしかないだろう。

アポを取るため電話をかけると、これからでもいいとのこと。予定の面接がキャンセルになったらしい。チャンスだ。ぼくは、すぐに伺うと返事をし、着ていくものがないことに気がついた。しょうがない。現場仕事にスーツなど不要だろう。綿パンツに白シャツで勝負だ。

訪問先は、会社というよりモロに現場だった。もう、スクラップ山積み。事務所に入ると作業着の太った中年男がいて、それが専務だった。社員5名の小所帯。きっと社長は父親か兄貴に違いない。

「まあ、座って」

安っぽい応接台をはさんで向かい合い、履歴書を渡す。専務はそれに素早く目を通すと、少し苦い顔つきで言った。

「こういう仕事の経験はないの」

「はい。ずっと出版関係の仕事をしていましたので」

今度こそその内容、ぼくが17年間やってきた仕事についての質問が来るはずだ。来なくちゃおかしい。が、専務の口から出たのは相談員と変わりがなかった。

「堅い勤めはしたことがないってことだね」

そのとおりだ。それは認める。でも、そのことと現場仕事に何の関係が。

ぼくは劣勢を挽回すべく、志望動機に話題を変えた。悔しさも手伝って、マジだった。人の役に立ちたいのだが、御社の仕事で立てるのかどうか、詳しい業務内容を教えていただきたい。筋の通った質問である。

専務は質問を受け流すことはしなかったが、積極的でもなかった。ぼくを頭でっかちの素人と思ったのかもしれない。

「経験がなかったらきついかもしれないね。リフト触ったこともないでしょう」

断りモードに入り、ずばり年齢を突いてきた。

「経験者なら中高年でもいいんだけどさ、けっこう体力いるし、きついよ」

何を言ってるんだ、40～50歳を募集しているから応募したのに。それにしても中高年とはっきり言われたのは生まれて初めてのことだった。自分がすごく歳をとったような感じがするもんだ。

でも、それが世間の評価なのだろう。ぼくはリッパな中年オヤジであり、広いくくりでは中高年とされ、若い衆よりジジイの範疇《はんちゅう》なのだ。

おまけに何の取り柄もなく、堅い勤め人でもないわけのわからない人種。これでは就職が困難なのはあたりまえ。まして、人の役に立ちたいなら、それなりの資格を取ったり勉強をすることが必要だろう。

「わざわざご足労願って申し訳ないけど、うちじゃちょっとね」

即決だった。ぼくは断られた。

事務所を出ると、なげやりな笑いがこみあげてきた。心のどこかで採用されるのではないかと思っていたからだ。

フリーライターという仕事についても、日頃からたいした仕事ではない、なくても世間は困らない職業だと思っているのに、本音ではだからこそ大切なんだ、フリーでやっていくのは大変なんだぞという自負があったようだ。

今回のことはいい経験だった。ぼくは、ともかく少しでもましな原稿を書いていくしかない。古本屋もがんばろう。それでもだめなら……タクシードライバーになろうといまは考えている。

（裏モノJAPAN2000年9月号掲載）

☆

景気回復が聞いて呆れるオヤジ就職戦線であった。喫煙所にたむろしていたみんなは、どうしているのだろう。仕事は見つかっただろうか。心配である。

もっと心配なのは自分のことだ。ここまでトコトン、社会的に相手にされないとは想像していなかったのである。誰ひとりとして、ぼくがどんな原稿を書いているのか興味を持つ人はいなかった。「フリー」であることがすべての判断基準。必要なのは資格、専門知識、肩書き。これが世の中ってことなんだろうか。

第四章　センチメンタルジャーニー

好きだと言えなかったあの女性に23年のときを超えて告白する

高校3年時の同級生、吉野美歌に会いたい

普段はまったく忘れているが、何年かに一度、ふとしたきっかけで昔のことを思い出すことがある。今回もそうだった。友人と雑談してるうちに、高校時代の話になってしまったのだ。

高校のころはあーでこーで、なんて話しているうちに、ぼくの心にひとりの女性がくっきりと浮かび上がってきた。高校3年時の同級生、吉野美歌（仮名）だ。

といっても、彼女はファーストキスや初体験の相手ではない。好きだったけど、どうしても好きだと言えなかった相手。遠くからそっと恋心を抱いていたんならまだしも、けっこう仲が良かったにもかかわらずだ。

どういう流れでそうなったか忘れたが、夏休みに友人と彼女の家に遊びに行き、部屋のなかでピンポン球を使って野球をしたこともある。そのとき吉野さんが転んでスカートがめく

れ、パンツが丸見えになったこともあったなあ。あの光景はいまでもしっかり見えてる。

電話もよくしていて、ひょっとするとコイツもオレのこと好きなのではと思ったこともある。

でも、告白はおろか手を握ることすらできなかった。勝負に出ないまま終わってしまったのだ。

好きだと言わなかった理由は、たぶん勇気がなかったからである。ぼくは吉野さんに振られるのが怖かったのだ。なにしろ彼女は純情可憐で授業もマジメに出席する優等生。カラダつきも華奢で肌はスベスベ、脚が細くてソックスが似合う身長161センチ体重48キロくらいの感じで、笑うと少しエクボができたりして、セミロングの髪がフワッと風になびいたりするわけだよ、皆さん！

そんな吉野さんに気軽に電話したりするところまで接近しておきながらオレはオレは……告白できず卒業してしまった。情けない、あまりにも弱腰である。

そしてその後はなぜか電話さえせず、今日の今日まで顔を見ることはおろか声すら聞いていない。というのも、ぼくはクラス会や同窓会に出席したことがないのである。当時の友人とのつきあいも途切れたままだから、彼女の噂すら聞こえてこない。

会いたい、と思った。情けない昔の自分にオトシマエをつけるためにも、会って好きだったことを伝えたい。吉野さんは迷惑だろうが、このまま放っていたら悔いが残る。気分が盛り上がったいま行動を起こさなければ、もう一生会うチャンスはやってこないだろう。

だが、問題がある。それは、ぼくと吉野美歌が同級生だったのは23年も前だということ。彼女はもう40歳なのだ。それなのに、ぼくの頭のなかの彼女は相変わらず17歳。このギャップはでかい。記憶は美化されるというから、実在する吉野美歌は、ぼくが思い出す吉野美歌とは別人みたいになっている可能性もある。

それに、クラス会で憧れの女に会ったら全然変わっていてガッカリしたなんて話もよく聞くではないか。シワが増え、体形が変わり、すっかりオバサン化していたらどうするんだ。大切な想い出として胸にしまっておくほうがいいような気もする。

いや、やはりダメだ。ここはキッチリ「好きだった」と告げなければ。彼女がどんなに変わっていようとも……。

彼女がいまどこに住んでいるのか、手がかりを探すために卒業アルバムを見ようと思い、家じゅうを探したが見当たらない。いきなりピンチである。が、ゴソゴソやっているうちに5年前に届いた元同級生、金田からの年賀状が見つかった。幸い、電話番号が印刷されている。電話するとアルバムを持っているとのこと。さらに、85年に作られた同窓生名簿もあるという。

すぐにヤツの家に行き、見せてもらうと、卒業アルバムに吉野さんが写っていた。17歳の自分や金田もいて、さすがに若く見える。でも、吉野さんがフケた顔はやはり想像できない。う〜ん不安だ。

「名簿は？　あれ、住所が載ってるだろ」

「おう。でも、おまえは載ってないぞ」

ぼくの場合、卒業して1年後には実家が引っ越し、一人暮らしを始めたため、連絡先がわからないままになったらしい。何年か前に金田のところに〝以下の者は行方不明なので居場所がわかったら教えてくれ〟と通知が来て、ぼくの名前もあったそうだ。どうりで大学卒業時までつきあいのあった金田以外からは連絡が来ないわけだ。

でも、目的は吉野さんである。吉野吉野……あれ、ないぞ。もう一度上から順番に……あ、あった。長尾（吉野）となっている。結婚したのだ。1985年の名簿だから13年前にはもう人妻になっていたのだ。職業欄にはある中学校の名前が書かれていた。

吉野美歌は学校の先生になり、ぼくの知らない誰かと結婚したのだ。そうか、そうだったのか。いまごろは母親になってるんだろうな。くそー、長尾って何者か知らんがあの吉野と。長尾、おまえは彼女に「好きだ」だけじゃなく「結婚してくれ」とまで言ったのか。それで彼女の返事は「イエス」。くぅ完敗じゃ、オレの完敗じゃ。

「北尾君って、あの北尾君なの!?」

金田からアルバムと名簿を借りて帰宅したものの、わかるのは実家の住所と電話番号。学校だっていつまでも同じところにはいないだろうから、直接連絡を取るのは難しい。収穫といえば、彼女が東京にいる確率が高いことが判明したことくらいだ。

考えたあげく、ぼくは母校の都立H高校に最新の名簿を閲覧しに行くことにした。なにせ手元にあるのは85年の資料。その後、彼女は離婚しているかもしれないし、最悪の場合は亡くなっているかもしれない。とにかく、彼女の居場所がわからなければ話にならないのだ。実家に連絡するのはもう少し情報を得てからにしたい。

私鉄沿線の駅を降り、タクシーで母校まで行く。校門の辺りは変わらないが、テニスコートやバスケットコートが作られていたり、校舎も一部は建て替えられているようだ。学校の外で授業をサボッた男子学生が数人でたむろしているのは昔と同じ光景だ。

受付に行き、卒業生だが同級生に連絡を取りたいので名簿を見せてくれと言うと、一瞬ケゲンな顔をしたが、担任だった教師を知っているらしく「あの先生の教え子ですか」としきりに懐かしがって、平成6年のものを快くコピーしてくれた。

それによると、吉野美歌は相変わらず長尾姓で、勤務先欄は空白になっている。教師を辞めたのだろうか。ぼくとしては勤務先の学校に電話して連絡を取りたかったのだが、これでその道は断たれた。

こうなると、実家に問い合わせるしかないか。だが、何と言おう。いきなり元同級生だと名乗る男が理由も言わずに電話したら、宗教か何かと勘違いされ、教えてもらえないような気がする。

それだけは絶対に避けなければならない。吉野に会うルートはひとつしかないのだ。だが、ウソはまずい。ウソをつけば、それは彼女の耳に入り、警戒されるに決まってる。

翌日の夜、9時。吉野に実家に電話をかけると、すぐに女性が出た。母親だ。

ぼくは努めて平静を装いつつ、内心ドキドキで名乗り、同級生と話をしているうちに美歌さんのことが話題になり、個人的に懐かしくなって電話したと言い、できることならこの機会にクラス会ができればと思っているので連絡先を教えて欲しいと付け加えた。

これは昨夜、考えたウソだ。けど、ウソだということを彼女に言えば許してくれると勝手に自分を納得させたのだ。

すると母親はふふっと笑ってこう言ったのである。

「美歌なら、うちにいますよ。いまはふたりで歩きにいってますけど。食べ過ぎたとかいって」

なんと、彼女は実家にいたのである。ふたりでというのはダンナのことだろう。てことは離婚じゃない、里帰りか何かか。帰ってくるのは30分後だというので、再度かけることにして電話を切る。

正直言って気が重かった。母親の口ぶりから浮かんでくるのは幸せそうな夫婦像だ。そんなところに突然電話をして何になるというのか。

まして、用もないのに（こっちにはあるが）会いたいと言わねばならないのである。頭がおかしいと思われても仕方がない。それ以前に、ぼくのことなどロクに思い出せず、会話にならないってことも考えられる。そうなったら、すごくみじめだ。

だが、ぼくはぼく自身のために、この告白プロジェクトを決行せねばならない。大事なのは、たとえ23年遅れであろうと気持ちを伝えることだ。

30分が過ぎた。落ち着けと自分に言い聞かせ、受話器を握る。

「はい、もしもし」

うわぁぁ吉野さんの声だ。

「北尾って、あの北尾君？」

「うん、あの北尾だよ。わかる？」

「わかるわよ」

ホッとした。憶えていてくれたのである。ぼくは、金田に会ったことなどを手短に話し、どうしても声が聞きたくなったと彼女に言った。

「ふたりで歩きに行ったたって言われたけどダンナさんと？」

「そう。実家にいたから驚いたでしょう。養子に入ってもらって親と同居してるの。子供も3人いるのよ」

名簿に長尾とあるのは記載ミスだと言う。85年以降、彼女はいくつかの中学で教師をし、現在も現役で働いていると語った。

その後も思いがけないほど話は弾んだ。内容は卒業後の進路や他のクラスメイトのことが中心だからどうってことはないのだが、彼女の口調が昔と変わらないのでスムーズに話ができるのだ。

「クラス会をやるとか母に聞いたけど」

20分ほど話した後で、要件を尋ねられた。よし、いましかない。行け！

「うん、できるといいなと思って電話したんだけど、考えてみたら仲のいい女の子なんか吉野さんくらいしかいないから、意味ないかもしれないな。でも、吉野さんには会いたいんだよね。話したいことがあるから」

かなりしゃべってリラックスしていたせいか、単刀直入に言葉が出た。

「そうですね、積もる話をしたいですよね」

「迷惑でなければ、ぜひ」

「うん。でも、いますぐは決められないから少し考えさせて」

数日後、彼女から電話があり、学校の帰りになら時間が取れるという。ぼくが、どこへでも駆けつけると答えると、彼女は某私鉄の駅前を指定し、自分はメガネをかけてショートカットにしていると言った。

極限の緊張状態で待ち合わせの場所へ

電話では違和感なくしゃべれたし、吉野さんは結婚して母になっているし、こっちだって結婚している。だから、楽しく昔話でもして、「じつはオレ、あの頃キミのこと好きだったんだ」と明るく打ちあければいい。23年も前のことなのだ。なーんだ、そうだったのかで終わるはずである。いきなり電話で話すより、気分的にはラクな感じだ。

電話で話しただけでも吉野さんの幸せそうな雰囲気は伝わってきた。ぼくは何も彼女の家庭をブチ壊そうなんて考えてるわけじゃない。高校の同級生が久しぶりに顔を合わせるだけのこと。何の問題もない。ノープロブレム。

そう思っていたのは待ち合わせ30分前までだった。いよいよもうすぐだと思うと、クルマで指定の場所に向かう途中から、やたら胸が高鳴り、ノドが渇いてたまらなくなった。ハンドルを握る手は汗でベットリしている。

いったい、彼女はどんなオトナになっているだろうか。ぼくは彼女の目にどう映るのだろうか。一目見て失望の色が浮かんだらショックだろうなあ。待てよ、最初に何と言えばいいんだろう。

「やあ、しばらく」じゃヘンだし「今日はわざわざすいません」では堅苦しくて、以後の会話が他人行儀になりそうだ。でもとにかく23年ぶりなんだし、最初はていねいに挨拶するのがいいんじゃないか……。いろんなことがグルグル頭を駆け巡るばかりで、方針も決まらなければ落ちつきも取り戻せない。

駐車場にクルマを入れて駅まで歩く間も、ぼくは落ち着きなくタバコをふかし、何度も立ち止まって深呼吸をした。こんなに緊張するのは久しぶりである。しかも、いままで経験したことのない緊張感なので、どうしたらいいかわからない。

改札口の前にはかなり人がいた。メガネをかけてショートカットというと、うわ、あの太ったオバサンか！　違った、人違いだ。いくらなんでも吉野さんがあんなになるわけないよな……。

そのとき、ワンピース姿の細い女性が後ろ向きに立っているのが見えた。ゆっくり追い越して振り返ると、ぼくに気づいた彼女が恥ずかしそうに笑った。

たぶん、そのときぼくは呆《ほう》けたような顔をしていたに違いない。あれほど考え抜いてきたのに声が出ず「あ……」と言ったきり絶句してしまったのだ。

探す手間などいらない。そんな必要などどこにもなかった。

そこにいたのは、ぼくの記憶にある吉野さんそのものだったのである。そりゃ少しは年齢を重ねた気配はあるが、雰囲気は高校のときのまま。客観的に見ても30歳そこそこにしか見えないだろう。

腹の底から猛烈なヨロコビと安堵感がこみあげると同時に、ぼくは妙な気分に襲われた。高校生だったころの恋愛感情がドッと蘇《よみがえ》ってきたのだ。一緒にいることがものすごく照れくさく、でも内心では誇らしく、たいしたことはしていなくても充実感が満ち溢れてくるようなあの感じである。

頭の片隅では自分も彼女も40歳だとわかっているんだけど、それ以外のところでは17歳に遡《さかのぼ》ってしまった。さっきまでの緊張はだんだん弱まり、なんだかハイな気分になってくる。

喫茶店に入り、ぎこちなく挨拶を交わして彼女はアイスティー、ぼくはアイスコーヒーを注文。しばらくはお互いの近況を話し合った。近くでマジマジ見ても、彼女の肌は少女のようにスベスベだ。目のあたりにほんの少しシワがあるかなという程度で、体形も表情も喋り方も、アルバムのなかの彼女とまったく変わっていない。

こうして会ってしまった以上、何も隠すことはないので、ぼくも自分の仕事のことを話した。高校時代はぼんやりした生徒だったので、文章を書く仕事に就くイメージはなかったらしい。そうだろうな、自分でも考えたことなどなかったんだから。

「じゃあ、こうして誰かに会うことも、書く可能性があるわけね」

「そう。書くよ。イヤでなければ」

「イヤじゃないですよ。ただ、名前は出さないでね。いちおう私、教師だから」

吉野さんはいま、不登校児童を専門に教える学校外のクラスで教鞭を執っている。いろんな問題があって大変だが、すごくやりがいのある仕事だという。

「私は小さなころから先生になりたくて、その夢を実現できたんだから、どんなことがあってもくじけずに続けるの。最初の頃は校内暴力の全盛時で、泣いてばかりいたけどね」

そうだった。吉野さんは将来、教師になると言ってたっけ。

「だから私、浪人して四大行ったのよ」

「浪人したのか。知らなかった」

「したのよ。高田馬場の予備校」

聞くと、ぼくと同じ予備校に通っていたことがわかった。クラスが違うせいか、ぼくがあまり行かなかったためか、同じ予備校なのにスレ違うこともなかったのだ。これが運命ってやつか。

「私は北尾君はてっきりどこかへ引っ越したものだと思っていたの。卒業してから急に電話がなくなったから」

まるで電話が欲しかったような口ぶりで彼女が言った。話は途切れることなく続き、当然のように高校時代のことに突入する。ぼくの頭はますます混乱し、テンションが高くなる一方だ。

周囲にはOLたちもいるのだがまったく気にならない。大のオトナが夢中になって高校時代のことをしゃべっているのは、傍目《はため》から見たら異様な光景のはずである。

しかし、もうそんなことはどうでもよかった。ぼくは、告白するためにここにいるのだ。

3年のとき吉野さんのことが好きだったんだ

「どうしても言いたいことがあるんだ。23年前のことをいまになって言うのもヘンだけど」

そう切りだすと、彼女が少し困ったような表情を浮かべたが、もう後へは引けない。

「オレ、3年のとき吉野さんのことが好きだったんだ」

ついに告白してしまった。頼む、気を悪くしないでくれ。

沈黙が流れる。と、うつむいたぼくに聞こえたのは、蚊の鳴くような彼女の声だった。

「あたしも……」

な、なにぃ！　どっと汗が噴き出してきた。なんてこった、じゃあ相思相愛だったってことじゃないか。思わず彼女を見ると、ストローをぐるぐるまわしてモジモジしている。照れたときに見せる、高校時代からのクセだ。戻ってる。吉野さんも17歳に戻ってる。

「ねえ、憶えてない？　H高ってカップルは川沿いの道を帰るっていう暗黙のルールがあったでしょ。私たちはいつも何人かで帰ってたんだけど、一度だけふたりで川沿いの道を帰ったことがあったでしょう」

え、そんなことがあったっけ。

「あったのよ。私、あのとき北尾君が『つきあおう』とか言ってくれるんじゃないかって期待したの。でも、なんか淡々と歩いちゃって、すぐ駅についちゃったんだよね。それで、なんだ私の思い過ごしだったのかってガッカリしたんだ」

なんという失態。まるでフヌケである。ダメだなあオレってつくづく。おそらくそのときなんてコチコチになって歩いたんだろうなあ。しかも、自分にとってイヤな想い出はちゃっかり忘れてしまっている都合の良さ。

「夏休みに3日に一度くらい会ってたの憶えてる?」

おっと、そっちは大丈夫だ。

「いつも3、4人で会ったよな。吉野さんちでピンポン野球したのもあの夏だ。まったく何考えてたんだろう。オレ、自分に全然自信がなかったんだと思う。今日こそ今日こそといつも思っていたのに、とうとう言い出せなくて」

「そのうち夏が終わっちゃったね。私、いまでもときどき、あの夏はいったい何だったんだろうと思うことがあるの」

あの夏、「好きだ」と言っていたら、それからのぼくの23年はどうなっていただろう。彼女の実家に住み、食事の後で一緒に散歩しているのは、それでも長尾氏だっただろうか。

いや、仮につきあっていたとしても、軟弱な自分では長くは続かず、とっくの昔に吉野美歌に振られていたに違いない。ぼくは17歳のとき男のクズであり、吉野美歌という女を目の前にして、勇気のカケラも発揮できなかった。23年経ったいま、少しはマシになったといえるんだろうか……。

ぼくたちは、それからも精力的に話をした。外はとっぷり暮れてきて、あとわずかで夜に突入する。食事に誘うのが礼儀だろうか。いやいや、やめておこう。いまのテンションで食事なんかしたら、頭の中が17歳になったぼくは何をしでかすかわかりゃしない。クラス会などで再会した分別ある男女が、盛り上がって思わず不倫してしまうのは、きっとこんな状態のときだと思う。夢を見ている感覚なのだ。

ぼくは吉野さんと不倫したいのか自問してみたけど、答えはノーだった。きれい事を言うわけじゃないけど、ぼくは彼女が幸せそうで満足なのだ。もっとも、彼女のほうにはハナからそんな気なんかないだろうが。

駅まで見送り、手を振って別れた。もしかしたら、もう二度と彼女に会う機会はないかもしれない。あったとしても、今日みたいに息苦しいほどの緊張感はないだろう。

クルマに乗って家への道を走りながら、少しずつ夢から覚めるように。ぼくは40歳の自分に戻っていった。

（裏モノマガジン１９９8年12月号掲載）

☆

こんなこともあるのである。書いたあとで「こんな会話、おまえがするわけない」などと言われ、自分でも〝らしくない〟と認めるのだけど、実際こういう感じだった。もっとベタベタしたことも口走ったかもしれない。タイム・スリップした当人に現実感覚はないので、なんだって言えるのだ。しかも、ぼくは昔の面影を残したままの吉野さんに感激しており、歯止めの効かない心理状態にもなっていた。

で、それからどうなったか。どうにもなっていない。電話すらしていない。いずれクラス会でもやれたらとは思うが、ふたりきりで会うのは、これっきりにしたほうがいいと思ったからだ。たぶん、ぼくは自分がどうにかなりそうで怖いんだろう。再び吉野さんのことを好きになることも怖い。何度も会ううちに幻想に終止符を打たれることも怖い。どっちに転んでも、この日の幸福感を超えるような展開にはなりそうにもない。「これ以上、何を望むのだ」と、心が言っている。

ぼくはなぜ生まれたのか。母親に恋愛時代の話を聞きに行く

父も母も男と女である

1999年2月23日の午後、ぼくは実家に戻るべく、九州へ向かう新幹線に座っていた。24日は親父の命日だからだ。

といっても、親戚一同が集まるわけではない。年に一度の記念日のようなものだ。ぼくにしても、この日に墓参りするのは十数年ぶりのこと。

わざわざ帰省したのには理由がある。墓参りのついでに、なぜぼくは生まれてきたのか親に聞きたいと思ったのだ。いやまあ、そんな堅苦しいことでもないんだけど。

なぜぼくは生まれたか。それはいまを去ること数十年前に両親が知りあい、結婚し、母親が妊娠した結果だ。そんなの聞くまでもない。昔から母親似と言われてきたから出生の秘密

もありそうにない。

でも、それじゃ親たちがどのように知りあい、結婚に至ったのかキミは知ってるか？　本当は他に好きな相手がいたのかもしれないし、結婚に際しては涙なしには語れぬ物語があったかもしれない。

そういう話をキッチリと、親に聞いたことがあるだろうか。自分にとってはあくまで父親であり母親にすぎない彼らも、よく考えれば男と女。いろいろあると考えるほうが自然である。

自分のことを考えればよくわかる。ぼくは結婚しているけど、その前に何人かの女とつきあい、そのなかには結婚を考えた相手もいた。妻にだっていただろう。誰にだって「じつはね」と打ち明ける恋愛話のひとつやふたつはある。だとすれば親にもあって当然なのだ。

たまたま何かの縁で結ばれたふたりの、精子と卵子が何億分の一の確率でくっついて、ぼくという人間が生まれてきたのである。その偶然はどのように起こったのかを一度聞いてみたい。若き日のふたりについての話を。

ところがこれ、なかなか聞けるもんじゃない。想像するだけで身がよじれるほど恥ずかしい。どこがどう恥ずかしいか、うまく説明することはできないが、こんな話を正面切って聞くのは腰が引ける。

聞いてみたい気はあるのだが、何か親の秘密に触れてしまう感じもするし、とてもオレには聞けないと思ってしまう。ひょっとして、結婚まではいろいろあって、息子ごときに話したくないこともあるかもしれない。

その繰り返しで、親父が死んで以来20年以上、いままでは結婚以前のことを話題にするのは、自分にとってタブーになっているところがある。知りたいくせに聞けない。

しかし、母親もすでに65歳。ぐずぐずしていると、ますます聞きにくくなるばかりである。命日なら自然と親父の話にもなるから、いくらか唐突な感じもやわらぐだろう。タイミングさえつかめればなんとかなるかもしれない。

いつかは越えなければならない壁を、今回こそ越えてみせる。壁ってなんだという話もあるが、ぼくはそう思っていた。

「そんなのカンタンじゃん。オレはとっくに知ってるよ」

なんて言う野郎はこの先読まんでもいい。ぼくは、友だちみたいになんでも語りあう親子なんか気持ちが悪いと思っている人間だ。どうせキミとは気が合わない。

母と娘というのはその手の話をよくする習性があるらしいから、また別かもわかんないけど、両親のプライバシーに躊躇なく踏み込める男ってのはちょっと信じられないのだ。親子というもっとも身近な関係だからこそ、うかつに踏み込むことがためらわれる領域があるように思う。

それとも、そんなことしなくても世間の親父は、息子と酒を酌み交わしながら、「母さんも昔はアレでなかなかいい女でさ……」なんて話をするものなのか。するんなら少しうらやましい気がしないでもないが、そんな経験のないぼくには、親子関係の相場がよくわからない。

母親もひとりの女。この単純な事実に初めて気がついたのは親父が死んだ19歳のときだった。それからの3、4年間は43歳にして夫と死別した女として見ていた記憶がある。いい人がいたら再婚すればいい、と本気ですすめたこともあった。

両親の若かった時代のことが気になりだしたのもこのころだ。しかし、ふたりが結婚した経緯を聞くことはできなかった。もちろん向こうからそんな話もしてこない。そしていつしかぼくのなかで女という意識は薄れ、母親は元のイメージに再び収まったまま時が流れてきたのだ。

いったいどう切りだせばいいのか

実家に着いた翌朝、母親とふたりで墓参りに行った。あたりはシーンとして誰もいないから状況としてはいい。実際、戻るまでは墓参りのついでにと思ってもいた。でも、寺とか墓にはナマナマしい気分を吹き飛ばす要素があるのだろう。まるでそんな気にはなれない。ここは帰宅してからだ。ぼくは母親に今日の予定を尋ねた。

「昼から友だちと会う約束があるんよ。遅くなるかもしれないから夕食は外に食べに行こうか」

急に帰ってきたんだし、仕方あるまい。相談の末、晩飯を近所にできたリゾートホテルのレストランに食べに行くことにし、ぼくは実家でブラブラ過ごした。

港町なので、ホテルは海沿いに建っている。メインターゲットはカップルだから、レストランもそれなりに雰囲気には気を遣っているはずだ。

65歳の女性とその息子が、ワインでも飲みながら遠い昔の記憶をたどる。酔いも程よく手伝って母親の舌も滑らかになり、思わぬ告白が始まる……予定だったのだが、そうはならなかった。たかが息子と海沿いのレストランに行ったくらいで、母親は女に変身したりしないのだ。

話題はまず料理に集中。そして、マンション購入に踏み切った娘夫婦のこと、孫のことへとよどみなく移っていく。

途中、親父の話も出るには出た。親父は東北出身で塩辛いものが好き。九州育ちの母親は、味付けで苦労したという話だ。

「お父さんは納豆が好きだったけど、私は食べたこともなくて、あれにはまいった」

ムードも何もあったもんじゃない。そうこうしているうちに食後のコーヒーである。せめてキッカケぐらいはつかみたいが、いったい何を話せばいいのか。

わかっている。親父のどこが気に入って結婚したんだと、素直に話を始めればいいのだ。だけど単刀直入に聞けるくらいなら、とっくの昔にこういう話はできていたわけで。

「親父とは見合いだったんだよな」

がんばって出てきたのが、ようやくこのセリフ。納豆から前フリなしに見合い話。無理のある展開である。

「まあ、そんなようなもんよ」

オヤッという顔で返事する母親。いかんなあ、肩に力が入ってるよなあ。

「それで結婚は何年だっけ」

「昭和31年。私が23歳のとき」

「親父は？」

「28歳よ」

まるで刑事の尋問だ。それでも珍しいことを聞いたからか、母親は先を続けた。

「お父さんとは21年一緒だったんだよねえ」

「そうか」

「もう、亡くなってからの方が長くなったね。結婚していた時間が長かったような気がするんだけど、それはきっと子供を育てたりして充実していたからだろうね」

「そうか」

「亡くなってからはどうしても生活が単調になってきたから、短く感じるんだと思うのよ」

「そうか」

そうかそうかってバカのひとつ覚えかい。せっかくいい感じの会話になりかかっているのに、まったく突っ込めない自分にイラついているうち、母親は話題を変えてしまった。

レストランで食事をしながらなんて、かしこまった方法を選ぶから失敗するのだ。こんなことはコタツにでも足を突っ込んで聞くのがふさわしい。

そうだ、昔の写真を見ながらしゃべるのがいい。それなら尋ねやすいし、母親だって話しやすいのではないか。

ぼくは古い写真を押入れから引っ張り出し、箱一杯のモノクロ写真の山を見ることにした。両親のツーショット写真があれば、きっかけとして申し分ない。

が、いくら探してもないのである。親父はあまり写真に撮られるのが好きではなかったのか、独身時代のものはほとんど残っていないのだ。結婚後も撮る役に徹していたようで、ツーショットはおろか夫婦揃って写っている写真すら数えるほどだった。

母親のはけっこう独身時代のが残っている。女学校から洋裁学校に進んだだけに、女友だちとの写真ばかりなのだが、なかに1枚だけ男がふたり、混じっているものがあった。母親が19歳かそこらの写真だ。つうことはつまり、どちらかと付き合っていたとしてもおかしくはない。

「この男たちは誰?」

やってきた母親に、すんなり聞くことができた。

「それは女学校時代の友だち。みんなでよく遊びにいったのよ」

「どっちかと付き合ってたとか、そういう事実はないの」

まずまずの突っ込み。いいぞ。

「ないわよ」

顔色ひとつ変えずに返事が戻ってきたところを見ると本当だろう。

「その人たちとは仲がよかったけど、あくまでグループ交際。ただの友だちだったわね」

「なるほど」

ここは間髪容《い》れず、ほかに本命と思ってた人がいるのかとか、親父との恋愛時代に話を振るべきだろうと、頭では冷静に考える。そうすれば、おのずと道は開ける。だが、口をつくのはアホみたいな相づちでしかない。

そんな状態が2時間ほど続いたのである。わかったことは、以下のようなことだ。

洋裁学校に行った母親は、21歳で卒業後に就職を考えた。しかし、祖父は長女が働くことに抵抗があったのか、あるいは金に余裕があったのか、女子社員の月給だった7千円ほどを小遣いとしてやるから花嫁修業でもしろと提案。

そのうち知人のつてで親父が登場し、事前に会った祖父が気に入ってしまった。当時は父親の力が強かったのだ。祖父は商売をしており、親父がサラリーマンであることも「安定性がある」とポイントが高かったらしい。

母親としては見合いのときも特に好意を持ったわけではなかったが、逆に嫌な気もせず、トントンと話が進んでゴールイン。一年数カ月後、長男のぼくが誕生した。

書いているのも虚しい、履歴をなぞるだけの内容である。上機嫌の母親は何を聞いても答えてくれそうな気配。あと一歩、足を踏み出せば、長年のモヤモヤが晴れる。

ぼくは特殊な話が聞きたいのではないし、仮に秘密めいた過去があったとしても、いまさら大したショックなど受けないと思う。それなのになぜためらうのだろう。

何にこだわっているのか、自分でも不思議だ。いつか心理カウンセラーの先生に「マザコンかもしれないね」と言われたことがあるが、関係があるのだろうか。それとも単に人間のスケールが小さいのかね。こういうのはスケールの問題ではないよな……。

母親が眠る支度を始めた。今晩は、これにてお開きということである。

順調に事が運べば明日には帰京の予定だったが、こんな調子では帰れない。ぼくは、もう1泊することに決め、明日こそと胸に誓って眠りについた。

親父と結婚してよかったと思うか?

しかし、翌日もうまくいかなかった。話は夕食の後でと思っていたら、親戚からお呼びがかかってしまったのである。

昔話に花が咲くことにかすかな希望を抱いてみても、健在の祖母がデンと居座る座では、その手の話題にはならない。過去を振り返りたがっているのなんてぼくだけで、みんなはもっと前向き。酒も入るし、しんみりムードになどなりっこないのである。

帰宅したのは11時近く。酒に弱いぼくは酔ってしまい、何もかも面倒になってしまったようだ。頭の隅ではまずいなと思うのだが、風呂にも入らずふとんに直行。目覚めたら朝になっていた。時計を見るとすでに9時。新幹線は12時過ぎだから、11時半にはここを出なければ間に合わない。

一瞬で目が覚め、全身が緊張する。このまま帰京したらこうした話を聞く機会は二度と訪れないと直感的に思った。妹がいるので間接的に聞くことはあるかもしれないが、今回を逃せば、おそらくもう直接母親の口から聞こうとは考えないだろう。

さあどうする。聞いて得することでも損することでもない。このまま帰京するのも自由だ。

ぼんやり仏壇の前に座っていると、背後に人の気配。振り返ると母親が、微笑を浮かべて親父の遺影を見つめていた。

「あのなあ、親父と結婚してよかったと思うか？」

一番聞きたかったことが、スッと声になったことに自分で驚いた。母親は急にそんなことを聞かれて困ったみたいで、少し間をおいてから言った。

「よかったんだと思わなくちゃいけないわよね。私は早くひとりになってしまったけど、これればかりはねえ。運命だから、どうしようもないしね」

「結婚している間とか楽しかったんか？」

「そりゃ楽しかったよ。最初のころは貧乏でさ、ストッキング1枚買うのに悩むような生活。それまで、そんなことで悩んだことなかったでしょ。なんでこんな安月給の人と一緒になったんだろうなんて思った。でも、そういうのも悪くなかった。当時は貧乏があたりまえだったし。あんたを友だちに見てもらって、ふたりで映画を見に行ったりしたんよ」

「どんな映画を見とったんかね」

「恋愛映画」

　ぼくは物心ついて以来、テレビですら親父が恋愛映画など見ているところを目撃したことがなかった。それだけでも、ぼくが生まれた当時はまだ新婚気分だったことが推測できる。親父、完全に母親の好みに合わせてたんだな。

　気がつくと、ぼくは正座していた。足を崩し、じつはそういう話が聞きたかった、もっと聞いてもいいかと尋ねた。堅いなあ態度が。でも、これが精いっぱいのところである。

　母親がうなずくのを待ち、見合いについて聞いてみる。おとといの話ではこの結婚、本人同士より祖父が盛り上がって決めたフシがあるからだ。本当に納得して結婚したのか、どうも怪しい。親父は二枚目でもなければ金もなく、口先もうまくはなかった。

「それより気になったのは身長なんよ。ヒールをはくと私のほうが大きく見えるからね。それが嫌だったたねえ」

　母親は162センチと当時としては大柄。そのことにコンプレックスがあったらしい。

「お父さんと見合いした直後に、他からすごくいい話があってね。それがあんた、日銀のエリート。あちゃー失敗したと思った」

話を聞くかぎり、母親はミーハーなところがあったようだ。親父とが初の見合いだったらしいから、順序が違えば日銀男と結婚していた可能性は低くない。そうなれば、ぼくはこの世に誕生していないことになる。わずか1カ月程度のタイミングの差だ。

しかし、まあそういうのは笑い話。そんなことより、母親には親父と出会う以前に好きだった男がいたのかが気になる。聞いていいものだろうか。いいよな、嫌なら答えを濁すよな。

えーい、ままよ。

「見合いする前にはどうなの。その、なんていうか、この人ならとか、そんな感じの……」

「好きな人がいたかってこと?」

「いや、あの、いたっていいんだよ。オレはただ、どうだったのかが知りたいだけで、その」

「うん。いなくもなかったよ」

母親はあっさり肯定した。ぼくは、そりゃいるよなと納得すると同時に、動揺もしてしまう。

東京の学生にもらった20歳の誕生日プレゼント

「最初は文通みたいなカタチで始まったんだけど、それから行ったり来たりして。あれは恋というより憧れみたいなもんだったと思うよ、いまにしてみれば」

自称文学少女だった母親は、よく雑誌の読者ページに投稿などをしていた。そこに意見が載ると全国から賛同や反論の手紙がくるのが楽しみだったそうだ。

そこに手紙を寄せたのが、東京の大学生Oさん。ユーモアと知性にあふれた手紙はおもしろく、返事を出すうちに文通が始まった。Oさんが大学の吹奏楽部でバイオリンを弾いていることも、ミーハー心を刺激したようだ。

「でもいい人でね。向こうも遊びに来たし、私が東京まで遊びに行ったときは、その人の家に招かれたこともあったんよ」

おいおい、大胆じゃないの。

「自宅よ、もちろん。向こうのお母さんに紹介されたりしてさ」

自宅に招いて親に紹介か。母親は淡い恋愛感情はあったものの結婚は意識してなかったと否定するが、お互い乗り気だったとしか思えん。

「ひょっとしたら可能性はあったかもしれんよねえ。だけどその人、結核で長期入院してね。そのころ結核っていうのは命に関わる病気だったでしょう。だからというわけでもないけど、自然消滅していったんよ。結婚しましたと手紙を出したら、毛筆でしたためた巻き物みたいな手紙がきた。おめでとうって」

「写真あったら見たいんだけど」

ぼくが言うと、なぜか母親の目が泳いで「どっかにあると思うんだけど」とかわされてしまった。でも、あるんだ。45年も前の写真を捨てずに、しかも親父のものとは違う場所にしっかり保管しているのである。自分だけの大切な想い出として。

母親は写真のかわりに、20歳の誕生プレゼントにもらった本を持ってきた。いまではボロボロになったジャック・ティボー著『ヴァイオリンは語る』。英語で書かれたバースディ・カードがはさんである。なんかキザだ。

しかし、よく親父に見つからなかったもんだ。

「あら、知ってたわよ。私、全然隠してなかったから。お父さんも、オレはいろいろモテたんだとかよく自慢してたし、昔好きだった女性の名前とかも言ってたんよ。あんたは知らないだろうけど、そういう夫婦だったのよ。たとえばさ……」

初めて聞く話ばかりだ。ぼくの知らない若き日の夫婦の姿が、おぼろげに見えてくる感じ。それは、おもに小学校高学年から19歳までの記憶で構成されているぼくの両親像とは、かなり違っていた。

あたりまえのことだけど、両親にも結婚前の日々があり、新婚生活があった。ふたりで作ってきた歴史が我が家という家庭だったってことだ。それは、いくらそばにいても子供からは見えない、ふたりだけの世界なのだ。

「親父は浮気したことあんの」

「あっても私はしらんね。でもたぶん……。そういうとこ、あの人マジメだったのよ」

母親は少し照れつつ、息子にノロケてみせた。

昭和8年生まれのぼくの母親は、女学校まで男とつきあうこともなく見合い一発で親父と結婚し、ぼくと妹を産み、育て、途中で夫を亡くして、いまはふたりの孫がいる年齢になっている。今回、ぼくはきっと彼女の人生のなかでもっとも光り輝いていた時期、昭和20年代後半から30年代前半の話を、やっと聞くことができた。

ぼくに絡みついて離れなかった親の若い時代の話を聞くことへの抵抗感。それを振り切ることで得られたのは、ありふれたエピソードばかりだ。でも、それでも人に歴史ありである。

「ただ、このごろ思うんよ。私はお父さんと結婚して幸せだったけど、心の底から誰かを好きになることのないまま結婚し、歳をとったんじゃないかねえ。Oさんとも、恋愛というほどのことではなかったから。洋裁学校のころの友だちとも、よくそんなことを話すんだけどさ」

明るい口調で、母親は最後に言った。

そうかそうか。駆け落ち同然で家を飛びだして男を追いかけた妹を、なぜ母親が最後には許したか。これまた長い間引っ掛かっていた謎も解けた気がする。う～ん、この歳で言うのもなんだが、今回の件で母親との距離がグッと近くなった感じだ。

実家を出て、駅に行く途中で思い出した。ぼくは小学生のころ、一時期ヴァイオリンを習っていたことがあったのだ。あれはOさんの影響なんだろうか。今度戻ったら、母親に聞いてみようと思っている。

（裏モノJAPAN1999年5月号掲載）

☆

親子の会話には独特の恥ずかしさがある。あまりにも近い存在だからだろうか。カンシンなことを、意外に知らなかったりするものだ。若い頃は親の話になど興味がなく、興味が出る頃にはあらたまって聞くことが不自然なほど歳を取っている。

まあ、40代になった息子が60代の母親から若い頃の話を聞いたからといって、彼女を見る目が変わることはないが、あらためて、ひとりの女性として意識することができたのは新鮮な経験だった。たぶん、ぼくが聞いたような内容を、妹は全部知っていることだろうが、直接聞くことができてよかったと思う。

残念なのは、親父が生きているうちにもっと話をしておけばよかったということ。母親の口から話される父親像と、息子の立場で思う父親像ではかなり違う面があるはずだ。ぼくの父親はどんな人間だったのか。葬式のときなどに人から聞かされる話は、父親のいい面ばかり。だめな部分、だらしのないところを含めて、いろいろと知りたかったものだ。ぼくは父親と折り合いの悪い子供で、高校までたいしたつきあいかたをしなかったことが悔やまれる。

クラス一丸でさんざんイジメた担任教師に謝罪する

新任教師は生徒から「エラ」と呼ばれた

その人のことを思い出すとチクチクと胸が痛む。そんな相手はいないだろうか。たとえば、ささいなことでケンカ別れした友人。軽い気持ちでついた嘘や流した噂で傷つけてしまい、自分から離れてしまった知人などである。

冷静に考えると悪いのは自分。でも、相手から何か言ってくるわけでもない。で、時がすべてを解決してくれるさと、楽観的に考えてみたりする。

謝るってのは楽しいことじゃないから、できれば避けたいのが人情。しかも、謝ったところで元の関係に戻れる保証もないから、ついタイミングを逃し、それっきり。

そして月日が流れ、それぞれ違う道を歩き始める頃にはすっかり疎遠に。そうなると、もうどうしようもなくなってしまう。

一言謝っておけばよかった。なんでオレはあんなことしたんだろう。そんな後悔が、苦い記憶となって残るだけ。普段は忘れていても、何かのはずみで思い出すとちょいと気分が重くなる。誰でもひとりやふたりは、そういう相手がいるのではないだろうか。

ぼくにはいる。人間関係が切れるときは相手を大嫌いになるか、逆にものすごく嫌われるかハッキリしているタイプなので、友人関係にはいないんだけど、その昔、さんざんからかった相手がいる。

担任の教師だ。高2のとき担任だった近藤隆先生（仮名）を思い出すたび、悪いことしたなあと思ってしまうのである。ぼくだけじゃなく、当時の同級生と話をすると必ず近藤イジメの話題になってしまうところをみると、みんな悪かったと思っているみたいだ。

で、少しだけ神妙な雰囲気になって「いつかワビ入れなくちゃなぁ」という会話で話が終わる。20歳くらいから延々とそうだから、もう20年もそんなことを繰り返しているわけだ。

でも、誰ひとりとして謝ったヤツはいないのですね。

機会もないし、いまさらという気分もある。そんなことしなくても困ることもない。これが表向きの理由。が、本音はべつのところにある。自分たちがからかったせいで、近藤先生のその後の人生が大きく狂ったとしたら、それを知るのが恐い。だったら多少後味は悪くても、ほうっておくほうが気楽なのだ。

この調子では一生、謝ることなどできないだろう。するとどうなるか。かつて高校生だった自分の後ろ暗い部分を、ずっと便秘のように抱えて生きていかなければならないのである。まったく、あのころのぼくはイヤなガキだった。

近藤先生は、ぼくらの学年から教師デビューした新人だった。教科は英語。ぼくは高2から編入したのだが、そのころすでに、近藤先生は生徒にナメられていたように思う。というのも、誰もが先生をあだ名で呼んでいたからだ。あだ名で呼ぶなんてけっこう愛されているじゃないかと思うかもしれないが、そんなことはない。

先生のあだ名は「エラ」だったのだ。エラが張っているから、そのまんまエフである。近藤先生は、その身体的特徴があだ名になっている、めずらしい先生だった。しかも、下には何もつかない。カラダの一部がいきなり全存在を表す。

「つぎ、エラの英語かあ」

「お、エラかよ」

「エラだ」

「じゃ、屋上でサボろうぜ」

「そうだな、15分くらい遅れてもいいいか」

「エラだしな」

こんな調子で呼ばれたのは、まだ20代半ばと若かったせいだろう。それに加え、先生は生徒に軽く見られがちな特徴をエラ以外にも備えていた。

色白で銀縁メガネをかけた童顔のルックスは、典型的な学級委員タイプ。性格はマジメ一本で、ちょっと神経質そうでもある。やせているのだが妙に姿勢がよく、そっくりかえって喋る姿はややバランスが悪い。怒ると顔を赤らめるからすぐわかり、じっと生徒をニラみつけるのだが迫力はまったくない。生徒側から見れば、気が弱くて情けない感じに見えたとしてもしょうがなかったのだ。

先生は正確な発音に力を入れていたのだが、正しい発音をめざすあまり、口をとんがらせて喋る姿は、エサをせがむ小鳥のように見えた。あれもイカンかったと思う。娯楽を求めてうずうずしている高校生に、形態模写という遊びを与えてしまった。

「はい、北尾くん、読んで」

「メニーチルドレン、あれ、チルドレン、チルド、チル、チル」

ここらあたりで声がかかる。

「65点!」

授業中に大笑いできるから、出席率はよかったけど、まともに勉強するヤツはあまりいなかった。気が優しい近藤先生は、もちろん暴力などふるわないし、強くは怒れない。ぐっと唇をかみ、顔を紅潮させてしばし窓の外を眺めるだけだ。その雰囲気がまたおかしくて、ぼくたちはますます図に乗ってしまう。

生徒には2種類いる。あからさまに先生をナメた態度をとるヤツと、従順なフリをして内心でバカにしているヤツである。ツッパリ全盛だったから、校内暴力こそなかったものの、あからさまなヤツは山ほどいた。

授業が始まると、机の上に脚を投げ出してこんな提案をする。

「エラよぉ。今日は自主学習にしようぜ。エラはどっか座って休んでていいからよ。な、そうしようぜ」

「だめです。はい、今日はレッスン1からでしたね」

「張り切んなよぉ。ところで、エラは彼女いんのかよ」

「……レッスン1」

「聞いてんだよ、答えろエラ！」

明るいイジメである。しかし、内心バカにしてるヤツは、怒られない程度にそれを楽しみつつ、もっと陰湿なことを考える。教室のドアに黒板消しをはさみこむなんて古典的な仕掛けをつくったりするのだ。

黒板消しで顔面を真っ白にしようという魂胆ではない。仕掛けははずれるように作り、反応を楽しむのだ。このときかどうか忘れたが、先生を泣かせたことがある。あまりに騒がしいことに怒り、あきれ、悲しんで、「きみたちは……」と言ったきり目を潤ませて絶句してしまったのだ。非常事態であるが、そこまでしても静かになったのは5秒ほどでしかなかったろう。まったく、書いててイヤになるよ。

でも、ぼくはもっと最低だ。直接手を下すことはないんだけど、今日はどんなことが起きるのかをいつも楽しみにしていたもんなあ。仲間内でエラ話をするのも大好きだったし。ロコツな態度はとらないが、いないところではバカにする、タチの悪い生徒だったと思う。

教師を辞めて故郷に戻り自殺した⁉

「ヒマだからエラでもからかいに行こうか」

高2の冬休み、何人かで先生の自宅に行ったことがある。教え子が訪ねてくるなんて、うれしかったんだろう。4畳半のアパートはチリひとつないほどきれいに掃除されていた。

ぼくたちの目的は持っていった酒で先生を酔わせ、自分たちも飲み、そのエピソードを休み明けのクラスで話して大いに盛り上がることである。しかし、先生は酒を飲もうとしない。

まさか生徒と酒を酌み交わすわけにもいかないので当然の話だが、狙いどおりの展開に持ち込めないぼくたちはイライラ。

こうなったら家宅捜査だ。口実をつくって先生を外に行かせ、押入れをあけて片っ端から調べると、プレイボーイが1冊出てきた。プレイボーイなんて、高校生でも堂々と読んでいる雑誌にすぎないのだが、ぼくたちは「エラのエロ本発見」と喜んだものだ。

その後しばらく、廊下ですれ違うたびに「プレイボーイ」と囁《ささや》いたりした記憶がある。先生はきょとんとしていたが、そりゃそうだよな。

そこで、おもしろくないぼくらとしては話を広げ「エラの部屋はエロ本だらけ」という話をでっちあげたのだった。ひどい生徒である。

3年になると先生は徐々に変化した。前なら、授業にチャチャを入れられるとムキになったのに、淡々としているのである。先生は怒ると顔が赤くなるのですぐわかるのだが、かなりひどいことを言われても赤くならない。まるで、「もうキミたちには期待しないから」と、女子を中心にごくわずか残っているまともな生徒だけを相手にしているように見える。

底意地の悪いぼくたちにはこれがなんともモノ足りない。エラに見放されたような気になってしまう。そこで生まれたのが「エラは完全に自信を失っている」という見方。実際、そのころの先生は覇気がないように感じられた。

まあ、いま考えれば、アホらしくてやってられなかったんだろうけど、元気があるからこそからかうのが楽しいのも事実。ツッパリたちは相変わらずの態度だったが、ぼくのような半端な生徒は「やりすぎたかな」というムードになっていき、そのまま高校を卒業したのである。冗談ではなく、本当にやりすぎたのだと思ったのは、近藤先生が学校を辞めたというニュースを聞いてからだ。

3年になって元気がなくなってからは、以前のように気やすく家を訪ねたりすることもなかったので詳しいことはわからない。しかし先生が学校を辞めるとしたら、理由は一つしかない。教師がイヤになったに違いないのだ。ぼくらのせいで嫌気がさしているところへ、下の学年によるイジメがエスカレートしていたら、先生はひとたまりもないだろう。

誰かが、先生は失望して辞職したと噂した。それを、ほかの誰かが故郷に帰ったと補強する。さらには、自殺説まで飛び出した。まさか自殺はないとしても、教師を辞めたというのは十分にあり得る。希望に燃えて教職の道に進んだのに、わずか数年であきらめざるを得なくなったのだ。つまり……。

ぼくたちは先生の人生をメチャクチャにしたのだ。

そういう結論に達したときから、後悔の念がはっきり生まれた。つくづくバカなことをしたと思った。

あとになってわかるのは、不器用でマジメで一所懸命だった近藤先生のことを、本当はみんな慕っていたということ。嫌いなら無視するはずである。でももう遅い。

せめて卒業するときに謝っておくべきだった。そうすれば先生も多少は気が晴れただろうし、ボク自身もこんなに強い罪悪感を感じることもなかっただろう。

ふた昔も前のことだ。ときどき思い出して気が滅入っても、目の前の現実がすぐに忘れさせてくれた。だから、ほったらかしにしていた。でも、気になる。引っかかっている。

謝っても、ぼくがイヤな高校生だったことに変わりはないが、謝罪することで、心の宿便みたいなヤツをだし尽くしてしまいたい気持ちは、やはり根強い。

やるべきだと思った。先生を探し、訪ねていこう。

先生はまだ東京に住んでいた

問題はどうやって探すかだ。先生の出身地は新潟県だが、実家の住所などはわからない。一番知っているのは同僚だった先生たちだろうから、そこからあたってみるのが先決か。

ぼくはそう考え、最新の名簿を入手すべく、母校に行ってみた。氏名と卒業年を告げ、昔の担任に連絡をとりたいと申し出ると、受付の人が昨年作った同窓生名簿を見せてくれる。

そのなかで、この界隈に住む人に連絡し、消息を尋ねれば何かわかるかもしれない。

「どなたの連絡先を知りたいんですか？」

「近藤先生というんですが、ぼくが卒業した次の年に、ここの高校を辞めたと聞いています」

「そうですか。えーと8期生ですね。あ、近藤先生の住所、載っていますよ」

思いがけない答えに驚いて名簿を見ると、たしかに名前があった。しかも、住所は東京になっている。職業欄などはないので詳細は不明だが、先生は東京に住んでいるのだ。97年の情報だから、いまも変更はないだろう。ぼくは住所と電話番号を手帳に控え、家に戻った。

ここまではいいとして、コンタクトをどう取るかだ。

電話したって、ぼくのことなど覚えているとは思えないし、唐突に会いたいと言うのも怪しさ満点。まあ、ふつうは宗教の勧誘や、セールスだと疑うよな。吉野美歌のときはたままうまくいったが（212〜228ページ参照）、相手にされない可能性が高い。直接、家を訪問したほうが脈がありそうだ。

いやいや、そうともかぎらん。先方にとっては見ず知らずの中年男が突然現れるってことだから、それこそ大警戒されるのがオチである。となると、ここは常識的に電話してからだ。熱意で押し切るしかないだろう。

受話器を取ったところで、急に不安が押し寄せてきた。どう考えても、社会人第一歩でつまずいた先生のその後の人生が、順風満帆とは考えにくい。であれば、先生がぼくやクラスの連中に持っている恨みは、謝罪してすっきりしたいなどというこっちの甘っちょろい感傷とは比べものにならないはずである。

話すうちに激高し、罵倒されるならまだいい。つらいのは、昔の面影は今いずこ、すっかり老け込んでいる場合である。やっぱり会うのはやめておこうかと、弱気の虫が騒ぐ。

10分後、ぼくはダイヤルをプッシュしていた。会えるかどうかもわからないのに悩んでもしょうがない。もし、恨んでいるならハナから会ってはくれないだろう。

「はい、近藤です」

出たのは女性だった。奥さんだろう。名を名乗り、昔の教え子だと言うと、先生に代わった。

「H高で2年のとき担任してもらった北尾といいます」

意気込んで言ったが案の定、先生にはぼくがわからないようだ。

「じつは突然で恐縮ですが、先生にお会いしたくて電話しました」

「私に……ですか」

「はい。あ、勧誘とかじゃありません。それはもう保証します。先生に習ったんですから、そんな社会人になっていたら電話なんかできるわけありません。勧誘じゃないです、はい」

いかん。そんなことをくどくど喋ってどうするよ。先生が沈黙したではないか。軌道修正だ。

「ぜひお目にかかりたい用があるんです。詳しくはお会いして、直接お話ししたいのですが」

話しながら、こりゃダメだと思ったので、高校で連絡先を聞いたことをつけ加え、再度のプッシュ。そして、答えを待つ。ノーならきっぱりあきらめようと決意した。

「わかりました。日曜日なら休みなのでいいですよ」

さすがエラ、いや近藤先生。人の良さは変わっていない。ぼくは礼を言い、日曜の午前11時に会うことにして電話を切った。わずか2分しか話してないのに手に汗をかいている。緊張していたのだ。

ぼくは、あんまり気にしていなかったよ

指定された八王子の先の駅には10時半についた。30分も時間が余っている。う〜ん、ちょっと気がせいているか。ベンチで時間をつぶし、せわしなくタバコを灰にする。こんなとき、時間はなかなか過ぎてくれない。

改札口に移動し、さらに待つ。11時を数分まわったころ、先生が来た。歳はとったがすぐにわかる。「エラ」健在だ。

声をかけると向こうも笑顔になった。卒業アルバムで、ぼくの顔を確認してきたという。

「そこに喫茶店があるから」

そう言って歩き出した後ろ姿は、昔と同じくやけに姿勢がよかった。

注文したコーヒーが来るまでにわかったのは、電話に出たのは高校生になる娘だということと、いまの家にもう10年ほど住んでいるということ。あとはとりとめのない話だ。

「北尾くんは、2年から編入してきた生徒だったよね」

やっと思い出したというように、先生が言った。ぼくを覚えているのかと少しうれしくなる。

「それで、今日はどうしたの？」

当然の質問である。ぼくは目的を果たすべく、用意した言葉を口にした。

「謝りにきました。高校のとき、いろいろからかってすみませんでした。それが気にかかっていたので、いまさらヘンかもしれませんけど、謝っておきたいと」

「そんな、いいのに」

先生は、なんだそんなこととかとでもいいたげに、目尻にシワを寄せた。

「でも、教師になっていきなりあれじゃあ、かなりキツかったんじゃないですか。卒業した後、あのころのヤツと会うたびに、悪いことしたなって話になるんですよ」

「そうかな。ぼくは、あんまり気にしてなかったよ」

またまたご冗談を、と思ったが、本当にそうだと言う。ぼくも若かったからねと、生徒を恨んでいる感じはまったく伝わってこないのだ。ぼくはてっきり、あのときはまいったという答えが戻ってくるとばかり思っていた。

駅で会ったときに、昔と雰囲気が変わっていないので、最悪の展開にはならないと予期していたけど、気にしてなかったとは意外だ。そんなはずはないと思う。だって、先生は学校を辞めてしまったのだから。

にもかかわらず、笑顔で昔を語れるのはいまが幸せであることの証なのだろうか。それとも、あれ以後があまりにも大変すぎて、それを思えばH高時代はマシだったということなのか。

え〜い、ここまできたんだから全部聞いてしまえ。

「ぼくたちの間では、先生はノイローゼになったことになってるんですけど」

「ははは、まさか」

「違うんですか？　じゃあ傷心の思いで郷里に戻ったという話も」

「覚えがないねぇ」

冗談だろ、というように先生が笑う。噂はガセだった。先生はノイローゼにもならず、郷里に逃げ帰りもしなかったのだ。

「どこからそんな話になるのかねえ。ぼくはずっと東京にいましたよ」

「すると、あの後は会社に勤めたんですか」

「え、ずっと教師をやってましたよ。多摩地区を中心に、これまで5校に行ったかな」

教師には様々な規定があり、同じ学校にはずっといられないことになっている。その年数は経験によっても違ってくるらしいが、H高に4年勤めてよそに移るというのは、規定通りのことだったのだそうだ。

先生はノイローゼになったわけではなく、郷里に逃げ帰ったわけでもない。たんなる転任。しかも、着々とキャリアを重ね、いまでは50歳にして、何年も教頭を務めているというではないか。あのひ弱だった英語の先生は、教師としてのエリートコースを着々と歩み、現在にいたっているのだ。

「あれから学校も荒れたりして、教育の現場もずいぶん変わった。だから余計に、H高での出来事は、いい思い出になっているのかもしれないね。ワルぶってる子もいたけど、なんだかんだいって当時はのどかだったよね」

懐かしそうに先生は言った。

おいおい、どうなってるんだよ。ひょっとして、ぼくはこの20年間、〝加害者意識〟のカタマリになって、尾ヒレのついた噂を信じ込んでいただけだったのか……。

こっちが気にするほどには相手は傷ついておらず、謝る必要なんかないのだと笑っている。肩すかしだ。でも、人生なんてそんなものかもしれないよな。どっちにしても、謝ることで、ぼくなりのオトシマエはつけた、と思うことにしよう。

この先もずっと、先生にひどいことをしてしまったと思いこんで生きていくより、そのほうがずっといい。たとえそれが、マンガみたいにマヌケな話だったとしても。

（裏モノＪＡＰＡＮ１９９９年９月号掲載）

☆

近藤先生は昔と同じく、温かくて優しい先生だった。なんだかんだいって、ぼくにとっては忘れられない人である。そういう人は同級生のなかにもいて、いまごろどこで何をしているのかとときどき思い出すことがある。すでに書いたが、ぼくは卒業以来、一度も高校のクラス会に参加していない。こうして吉野美歌や先生に会えたのだし、近いうちに昔の友人たちに声をかけて集まってみたいと思う。

番外編　消えたフリーライター
持馬ツヨシの行方を追う

この原稿は〝小さな勇気〟と直接的な関係はないかもしれない。通常は毎回ひとつのテーマを定め、行動に移すわけだが、このときはふとしたことで知人の起こしたトラブルに巻き込まれてしまい、それどころではなかったのだ。

知人は同業者で、そのトラブルは「金」「見栄」「仕事」「親子関係」などにまつわる、きわめて身近なことだった。身近だけれど、めったに目撃することのない修羅場だった。

そこで、ぼくは〝番外編〟として騒ぎの顛末を連載時に書いた。しかし、いま読んでみると、じつは大いに勇気に関係する出来事だったような気がする。

ぼくは、疑いを持ちながら知人にそれを質《ただ》すことをしなかった。彼の親が息子の理不尽な要求の言いなりになり、すべてを失ったのは、我が子可愛さに突き放すことができなかったからである。そして、知人は「じつは嘘なんだ」と言えず、自分を守るためにさらに嘘を重ね、ついには進退きわまるところへ追いつめられてしまった。

これは、勇気を出せなかった人間たちの物語である。

持馬はおまえの弟子みたいなもんだろう

「最近、持馬から連絡ないか？　仕事のことで連絡取りたいんだけど、自宅は留守電になってないし、携帯のほうも止まってるみたいなんだよ」

98年4月9日。騒動は、担当オガタがぼくの携帯にかけてきた1本の電話から始まった。

持馬というのは当時「裏モノの本」などで〈持馬ツヨシ〉の名で執筆していたライターのことで、激安台湾買春ツアーの体験リポートでライターデビューし、これまで〝ねるとんパーティ〟の実態調査や、クリスマスイヴのテレクラ体験、吉原高級ソープの取材などにカラダを張っていた。年齢は当時32歳だ。

オガタは持馬に原稿を頼むべく準備を進めていたのだが、そろそろ具体的な話をしなければいけない時期なのに、さっぱり音沙汰がないらしい。

でもぼくは「奴とはもう1年以上も会っていないんだから連絡などあるはずがない」と言い電話を切った。

オガタは持馬の原稿をアテにしているらしく、翌日も電話をかけてきた。そこで、奴が仕事をしているはずの某情報誌編集部の番号と担当者を教えた。

しかし、その編集部でも持馬と連絡が取れないために困っていた。そこでオガタは、この調子では持馬から原稿が入手できそうにないと判断。他のライターの確保へ方針を変更したらしく、以後しばらくは連絡が途絶えた。

この時点では、ぼくはまったく心配していなかった。持馬とてプロのライター。仕事先は他にもあるだろう。奴は裏モノが専門なのではなく、得意分野は旅行関係だ。おそらく急な海外取材が入り、あたふたと出かけたために連絡をとり忘れたってとこだろう。

おかしいと思い始めたのは、持馬が某情報誌の取材に現れず、そのまま連絡が取れなくなっていると聞いてからだ。ぼくの知るかぎり、奴は取材をうっかり忘れてしまうことはあっても、そのままバックレるような男ではない。少なくとも謝りの電話1本ぐらいは入れるはず。それがヤツの処世術である。

担当のヤマダ氏が言うには、金曜日にあるシンポジウムの取材をした後、月曜午後3時から行う別件の取材について打ち合わせもしている。それなのにスッポかすなんて、確かに不自然な話だ。

4月13日、ヤツが消えて1週間たった月曜日、再びヤマダ氏から電話が入る。最初は腹が立っていたが、さすがに倒れているのではないかと心配になり、昨日の昼に部屋を訪ねてみたとヤマダ氏は言った。

「ドアのところにファイナンス会社の名刺とかいっぱいありました。借金の取り立てじゃないでしょうか。いちおう北尾さんに知らせたほうがいいと思いまして」

タイミングよく電話してきたオガタにそのことを話した。

「それで、おまえはどうするの?」

「どうって何がだよ。保護者じゃあるまいし、そのうち連絡があるんじゃないか」

「冷たいねぇ。持馬はおまえの弟子みたいなもんだろうが」

「バカ言え、弟子じゃないよ」

でも、そう見られても不思議じゃない部分もある。持馬を最初にオガタやヤマダ氏に紹介したのは他でもない、このぼくなのだ。

ぼくがヤツと縁を切った理由

94年の暮れ、ぼくは相談があると呼びだされて、深夜の「ロイヤルホスト」で持馬と会っていた。用件は、勤めていた旅行会社をリストラされたので、旅行ライターになりたい。そこで北尾の事務所を仕事場として使わせてくれないかというものだった。事務所代は払えないので、ギャラの1割を使用料として入れ、雑用は何でもやるという。

持馬とは旅行の手配を頼んだのが縁で、以前から麻雀をやったり競馬に行ったりする仲だった。180センチ、120キロの巨体を揺すって豪快に飲み、打ち、買う。ぼくとは違うタイプだが、ぼくは持馬の申し出に「いいよ」と答えた。

それはヤツが明るい性格で、人懐っこい笑顔を持っていたからだけじゃない。OKしたのはそのとき持馬がこんなセリフを口にしたからだ。

「いまのガイドブックはタイアップばかりで本当の情報じゃない。自分はがんばって世界を歩き、これぞガイドブックだって本を書きたいんス。本気です」

こうして、持馬は年明けからぼくの事務所に通うようになり、手始めに「裏モノの本」のリポートを〝北尾が責任持って原稿をチェックする〟条件でゲットした。逆の見方をすれば、知り合いのライター(ぼくのこと)を説得して、まったく金をかけずに仕事場を確保、好条件でライター生活のスタートが切れたのである。

未経験のためすぐ依頼が来るわけではなかったが、当初は失業手当で食いつなぎ、あとは本人のがんばり次第というところだ。

ぼくのほうは、ひとりの気楽さは失われたものの、朝10時にはやってきて事務所の掃除をしてくれる持馬の存在は、うれしくもあった。1カ月もしないうちに朝10時が11時になり12時になっても、まあそんなもんだろうと何も言わなかった。

貯金のない持馬は、いつもコンビニで菓子パンやスナックを買い、ぼくが誘わないと外食もしない。そんなところにヤル気を感じて、積極的に編集者を紹介したり、取材に同行させたりしていた。

そうこうしているうちに、少しずつではあるが旅行関係の仕事が来始める。それは、目指すところとは違うガイド記事だったが「いまは経験が大事」ということで、好きな競馬もフーゾク通いも控えて、持馬は必死にそれをこなしているように見えた。

収入がないから遊べない持馬だったが、雑誌や新聞だけはマメに買っていた。毎日スポーツ紙2紙、夕刊紙2紙、週刊誌はすべて、旅行関係の特集記事を載せている雑誌すべて、風俗情報誌、テレビ雑誌など、コンビニに行くたびに山ほど買ってくる。月に数万円分は買っていたのではないだろうか。本人は「これだけが楽しみなんだから禁止しないでくれ」と言っていたものだ。

そんな一所懸命な持馬に疑問を感じ始めたのは、半年ほどたったころだろうか。

どうもおかしいのである。

たとえばぼくが終電で帰宅、ヤツが泊まりという翌日、事務所に忘れ物をしたのを思い出して朝8時ごろ行くと持馬がいない。そして取材を終えて事務所に戻ると、昨日と同じ服を着た持馬がいるという具合。帰ったんじゃないのかと聞くと一瞬何のことだという顔をし、慌てて「帰ったけどそのまま寝て、そのまま来た」と言ったりする。

他にも何度か祖母や伯父が危篤になるパターンもあり、急に「実家に戻らなければならない」と電話がかかってくる。嘘臭いと思うのだが、嘘をつかなければならない理由が思いつかないので放っておくしかなかった。

金も貸した。旅行会社にツテのある持馬は、しょっちゅう知人の旅行を無償でセッティングしていたのだが、あるとき預かり金を競馬でスッてしまい、今日中に20万振り込まないと客に迷惑をかけると言う。

ぼくとしては当然「そんなもの、サラ金に行けよ」と言うしかない。するとヤツは悲しげに首を振り、駆け出しのフリーライターには貸せないと断られた、街金にも無理だと言われた、そうでなきゃ北尾さんに頼むわけないでしょうとセマってくるのだ。親や友人に借金すれば、やっぱりサラリーマンのほうがいい、ライターなんかやめろと言われる。それだけは避けたい、と。

これまで何度か、人に金を貸しては泣きを見ているガードの甘いぼくは、持馬の迫力に押され疑うことなく話を信じ金を貸した。一度など、わざわざ自分の武富士カードで金を借りて貸したことまである。1年半の間にぼくが貸した金は41万円だった。

とはいえ、ぼくと持馬の関係は比較的良好だった。ヤツはこちらから頼んだことには誠実に応えてくれたし、仕事に関してはよくやっていたからだ。

仕事関係でも「持馬さんは原稿はまだまだだけど、人柄がいいですから」と好評。特に旅行関係については、豊富な知識と経験で重宝がられていた。

しかし、ぼくには、どうしても奴を許せないことがあった。

ぼくの後輩に、ライターの成田無頼という男がいた。成田は当時、300万円以上の借金を抱え、AVの宅配チラシを配るアルバイトで糊口をしのいでいた。この成田を持馬はバカにしており「なんで親に金借りてでも清算しないいんスかね。悪いけどオレ、成田さんみたいにはなりたくないな」などと言うのだ。

そして、ある日「成田さんはもうダメでしょう。その点オレはまずまず順調にやってる。そのうち北尾さんにもいい思いさせてあげっからね」なんてエラソーなセリフまで吐いたことにぼくはキレた。

ぼくは許せなかった。いまじゃ早出はおろか掃除もせず、ボリボリせんべいをかじりながらぼくの目を盗んで私用電話ばかりかけている持馬に、けっして親にすがろうとせずに必死で汚れ仕事をしている成田をバカにする資格などあるはずがない。

翌日、ぼくは事務所をたたむと宣言し「借金を返し終えるまで、おまえとは会わない」と伝えた。一緒にいた1年半で、持馬が事務所に入れた金は、最初にもらったギャラの1割、千円だけだった。

持馬が消えたのは、それから2年後のことである。返済額は30万円ほどで、まだ完済していない。他に借金はほとんどないという話だったし、仕事はコンスタントにしているはずなので、なぜ返さないのか不思議だった。

ぼくとしては、金の貸し借りがなくなったら、また麻雀でもやるつもりでいたんだが。

部屋は無惨なほどに荒れ果てて

金融会社の名刺がいっぱいあったというヤマダ氏の言葉に興味をそそられ、好奇心が抑えられなくなったぼくは、翌14日の夜10時ごろ、カメラを持って持馬のアパートへ行ってみた。すると本当に名刺やメモがドアに挟まっている。郵便受けにも丸井や大和銀行からの督促状らしきものがあった。

ドアをノックしてみるが返事はなし。そして大家が書いたものだろう、〝持馬さんは不在です〟の張り紙が、ドアを開けたら破れるように張られていた。

まずは親に知らせるのが筋だろうと、翌日、実家に電話して事情を話した。ところが電話に出た父親は「連絡はない」とニベもない。ひとり息子がいなくなったら心配するのが普通だと思っていたぼくは、驚くと同時に何か嫌な感じを覚えた。すでに借金取りが何度も電話しており、ぼくもそのひとりと勘違いされているような気がしたのである。

打ち合わせをキャンセルし、16日の昼間、アパートを再訪すると、一昨日には大量にあった郵便物がきれいになくなっている。ドアの名刺やメモもない。

大家が片づけたのだろうか。でも大家は留守のようだ。窓でも開いていれば中が見れるのだが。裏にまわってみるか……。と、そのとき背後から野太い声がした。

「そこで何をしてるの？」

振り向くと自転車に乗った警官がこっちを見ている。一瞬まずいと思ったが、別に悪いことはしていない。それより、これは室内を見るチャンスではないか。ぼくは警官に事情を話してみた。

警官の反応は鈍かった。ただいなくなっただけじゃ事件ではないし、大家が留守ではどうしようもないらしい。でもせっかくきたんだ。もう一押ししてみよう。

「窓を調べてもいいですか。知人が訪ねてきて、窓が開いているかどうかチェックするくらい問題ないですよね」

警官は何も言わない。OKってことだ。裏にまわって窓に手をかけてみる。あれ、開くぞ。窓の外から見た部屋は、いたるところ雑誌やら書類、ゴミ袋だらけで床も見えない散乱ぶりである。が、右隣の部屋と台所はよく見えない。結局、2時間後にもう一度大家を訪ねることにした。

いったん家に戻り、2時間後に行くと、すでに警官と大家がドアのところでぼくを待っていた。鍵を開けて中に入り、風呂やトイレを見るが誰もいない。ホッ。とりあえず、室内で倒れていることはなかったわけだ。やはり逃げ出したのか、それともさらわれたのか。

台所を見渡すと、持馬自慢のルイ・ヴィトンのショルダーバッグがあった。仕事のときはいつもこれを使っていたことを思い出す。台所には大きな旅行用トランクがある。海外取材ではないようだ。

奥は3畳と6畳。3畳はそのほとんどをベッドが占めており、洋服掛け以外に家具はない。6畳にはコタツやソファー、本棚、大きなビデオラック、テレビ、などがある。あとは仕事道具のファックスとプリンター、電話機。

ファックスからは送信済みの原稿が飛び出していて、送り先はヤマダ氏だった。これが最後に書いた原稿ということだろう。

あとはコタツの上も床も、大量の雑誌や本、資料、郵便物、衣類などで埋め尽くされ、足の踏み場もなかった。荒らされた形跡はないものの、ジメジメとした湿気が漂い、すえた臭いが鼻をつく。

この荒れ果てた部屋で、ヤツはどんな暮らしをしていたのだろう。豪快にカッカッカと笑う、ぼくが知っている陽気な持馬と、この部屋との間にはあまりにもギャップがあった。

ふと見ると、電話機のコードが外されていた。引っ掛けた覚えがないから、持馬が抜いたのだろう。何か意味があるのだろうか。

「そろそろいいだろう、ね」

警官が言いだし、ぼくは写真を数枚撮って引き揚げることにした。

帰宅して考えても、何もわからない。さっきは興奮していて、ロクに部屋を観察することができなかった。すでに失踪してから10日目。早く手を打たないと、見つかるものも見つからない。

いくら付きあいがなくなったと言っても、あんな部屋を見たら心配になってくる。かといって警察がこの段階で動くはずもないし……。

動けるのは持馬をよく知っていて、ヒマな人間。オガタやヤマダ氏の電話に始まるここまでの流れからして、持馬を探すのはぼくの役目ってことになるんだろう。

父親宛の遺書に書かれていたこと

ヤツの友人に連絡を取ると、半年前まで持馬と同居していた高校時代の友人タナカがつかまった。タナカはすでに大家（アパートのすぐ隣に住んでいる）から連絡を受け、いち早く部屋を見たという。部屋が散らかっているのはいつものことで驚かなかったと小さく笑った。

「で、どう思う？」

「借金から逃げたんだと思いますよ。かなりあっただろうから」

でも、ぼくの知るかぎりヤツの借金などタカがしれているはず。何しろカードが作れないのだから。もっとも、事務所をたたんで以降のことはわからないが。

「いや、そんなことないですよ。あいつは昔からサラ金、慣れてるから。ぼくが同居しているときも、しゅっちゅう督促状とか来てましたからね」

おいおい、ちょっと待てよ。話が違うぞ。

タナカは、持馬が何らかの事情で金に窮して利子が返せなくなり、取り立てに来られると予想してトンズラしたのではないかという。

「そういう綱渡りはよくやってたんです。競馬とか」

そういえばサラリーマン時代に馬券を百万単位で当てて借金を返済した話を聞いたことがある。ということは、競馬で借金を増やした可能性も十分あるってことだ。

「いくらぐらいあったのかなあ」

「僕が知っているだけで400万はありますね」

あっさりタナカは言った。持馬は、友人関係だけでそのくらいの借金を抱えているという。

信じられない顔をしているぼくに、タナカが事情を説明する。

1年ほど前、やはり借金で首が回らなくなった持馬を見かね、高校時代の友人らが集まったことがあった。そして相談の末、金に余裕のあるひとりが400万の借金を立て替えることに決定。以後いっさいサラ金に手を出さないことを条件に、無利子で7年返済、月にざっと5万円ずつ返していけばいい計画を提案した。このときは持馬も泣きながら生活の建て直しを誓ったという。

このことでわかるように、持馬は友人たちに好かれていた。長年にわたる信頼がなかったら、こんな大金を貸すわけがない。事務所にいたときから感じていたことだが、確かに持馬は、異常なほど友人を大事にしていた。旅行の計画、チケット取りはもちろん結婚式のコーディネイトや友人間の連絡ボードを兼ねたミニコミ制作まで、その行動は献身的ですらあった。

ところが、泣きながら誓った決意はもろくも崩れ、持馬はまたサラ金に手を出す。そして今年3月、そのことが400万貸してくれた友人にバレてしまったらしい。

「そいつは怒り狂ってましてね。もう二度と助けない、と。持馬はそれでますます困り、逃げたんじゃないですかね」

4月19日、日曜、持馬のオヤジさんが上京するとタナカから連絡があった。この日は一発勝負に出た皐月賞当日（本書156ページ参照）。中山で30万をスッた傷心のぼくは、競馬場から持馬のアパートに駆けつけた。

　部屋に入ると、オヤジさんとタナカがいた。そしてオヤジさんは開口一番「あんな大馬鹿者は見たことない。どうしようもない息子です」と言い、今度の失踪について語り始めた。

「カンタンですよ。あいつが金寄越せって電話してきたんだけど、私が断った。これまでもずっと、あいつの借金の尻拭いばかりしてきて、本当に金がないんですよ。年金をもらう歳なのに私らの人生メチャクチャなんです」

　オヤジさんによれば、最後に実家に電話があったのは失踪前日の4月6日。いつもどおり金の無心をしてきたので断ったところ「死んでやる」と口走り、それでも効果がないとわかると「手紙を送る」と言い残して電話を切ったという。自殺するとか、実家にヤクザが行くなどと脅し文句を言って金を引っ張るのは、いつものことだったらしい。

　ヤツがなぜ6日に電話してきたのかはカレンダーを見るとすぐわかった。この日は複数の金融会社の支払い期限なのである。しかも、聞いたこともない会社ばかり。いわゆる街金業者だろう。

　コタツの上をよく見ると、父親宛の封筒があった。オヤジさんがタメ息をつきながらこっちにまわし、読んでもいいと言った。

　それは、遺書だった。いや、正確には遺書もどきというべきか。自分が死んだら生命保険で、同封のリストにある借金を清算してほしいと書いてある。

そこには20名近い名前があった。総額はタナカが言っていた400万をはるかに上回る600万ほど。友人、知人からの借金はオヤジさんも知らなかったらしく、タナカから事情を聞いてショックを隠しきれない様子だ。

オヤジさんの話では、以前にも親戚の力を借りて持馬の借金を整理したことがあったというが、ぼくが驚いたのは、その時期が持馬が僕の事務所に通っていたころと一致することだった。

なんてこった。危篤状態だったのは祖母でもなんでもなく、持馬自身だったわけだ。

「残酷なようだが、死んでいてほしい」

食い入るようにリストを眺めていたオヤジさんがつぶやいた。

コタツの上には包丁と果物ナイフが置いてあった。持馬は、これで自殺しようとしたのだろうか。そして死にきれず外へ出て、どこかで命を絶とうとしたのか。

だが、どこかおかしい。包丁に血の一滴も付着していないのはもちろんだが、遺書がおかしいのだ。ぼくは遺書というものを見たことがないけど、メモ用紙にシャープペンの汚い字（誤字あり）で書くかね。また、リストを書いていったん封をしてから、追加リストを作成している。しかも追加分は二重封筒の外の方に入っていた。

さらには、リストに貸してもいないオガタの名前があるのに、ぼくの名前はない。つまり、いい加減な記憶で書かれたものなのだ。これから死のうという人間が残すにしては、あまりにずさんといっていいだろう。死のうと思ったのは事実としても、どこまで本気かあやしいものだ。

だいいち、自殺を選ぶなら間を置かずに実行するはずなのに、新聞をくまなく読んでもそんな記事はどこにも出ていない。入院や逮捕の線なら実家に連絡が行くだろう。

さらわれた可能性はどうか。ないことはないが、部屋を捜索すると、なくなっているのはパスポート、財布、携帯電話、通帳、印鑑。携帯電話は、さらう人間には何のメリットもない。

借金総額は軽く1千万を超えていた

オヤジさんが帰った後に、残って督促状を整理すると、金融業者への借金状況が見えてきた。具体的な金額がわかったものだけで10社、354万もある。不明分を加えると400万、いや500万くらいあるかもしれない。持馬はこれを、この1年でこしらえたのだ。友人分を足せば、1千万は超す計算である。

部屋にあった出版社からの振り込み通知から推測すると、ヤツの年収は去年で500万前後。独身男が暮らしていく分には十分なはずだ。

しかし、持馬には全然足りなかった。ギャンブルか、フーゾクか、飲み食いか。それもあるだろう。が、答えは別のところにある。異常なまでの見栄っ張りと、欲望を抑えきれない性格である。

ヤツの部屋にあるのは一流品ばかりだ。1着10万は下らないブランド物コートをはじめとする衣類は、シャツ1枚に至るまでクリーニングが施されている。

腐るほどあるCD、収集していたと思われるTシャツとサングラス、帽子、高級化粧品、バッグ。袋を開けた形跡もない膨大な海外土産などなど。絵に描いたようにバブリーな浪費家だ。

資料とはいえ、たとえばハワイのガイドブックだけで似たような本を10冊以上持っている必要はどこにもない。当然ほとんどページを開いた形跡すらなし。

領収書の束がまたすごい。高級レストランや飲み屋も迫力があるが、こんなに大量のタクシー領収書は見たこともなかった。それも2万3万のがゴロゴロ。大家によると、しょっちゅうアパートの前にタクシーを呼んで出かけていたらしい。

コンビニの袋にもあきれる。菓子、飲み物、雑誌など、買ってきたままの袋が数十はあった。なぜ借金を抱えた人間がこんな無駄遣いをするのか理解できない。生活を小さくして少しずつでも返済しようという意志がまったく感じられないのだ。

こんな生活を、ヤツは何年も続けてきたのだろうか。発見した古い通帳に記載された元の会社からの給料振り込みは、月額15万を少し上回る程度なのに。

さらに調べると、持馬はUCカードを使ってほぼ毎日、タクシーに乗りまくっていることがわかった。これに海外取材が加わった月など、支払い総額は50万を超している。これでは、どこかから借金をしなければ払えなかっただろう。

こんな生活ぶりを、持馬はおくびにも出さなかった。外では豪快さを装い、内情は火の車。恋人もおらず、家に帰れば雑誌片手に孤独に過ごす、ぼくの知らなかったヤツの実像が浮かんでくる。

持馬の電話は、かけてきた相手の番号を表示するナンバーディスプレイタイプのものだった。たぶん業者からの電話をシカトするためだろう。

この電話機に最新の10通話が残っていた。すべて番号非通知だったが、時間がわかった。4月6日の午後10時半から11時にかけて、2分おきにかかってきている。そのあとでコードを抜いたのだろうから、少なくとも6日の夜は部屋にいたことになる。

整理してみよう。6日の午前中、持馬は実家に電話。オヤジさんが激怒し、援助を断る。

友人からは借りられない。明日には取り立てがやって来る。どうしたらピンチを逃れられるのか。ヤツは死ぬことまで含め、必死で考えたはずだ。

しかし名案は浮かばないまま夜になる。立て続けに鳴る電話のなかで、逃げることを考え始める。ライターは廃業すればいい。そして深夜か早朝、オヤジ宛の遺書を置き、必要最小限のものだけ持って家を出た——。

だいたいこんなところだろう。テレビや映画、裏モノ系雑誌ではありふれたシーンだが、実際に自分の知り合いがそうなったと想像すると、悪い冗談のような気がする。だけど、ここまで状況がわかれば、逃げたことはほぼ確実。これはリアルな話なのだ。

ぼくの立場から話を整理するとこうなる。持馬は事務所でパンを食べながらも、こっそり競馬をやり、フーゾクに通い、タクシーを使いまくり、海外取材では買い物をしまくった。サラ金カードはすでに何枚も持っており、それでも足りないときには、ちょいと嘘をついてぼくから金を引き出す。

悪気はなかったと思う。やめられなかったのだ。で、つい嘘を重ねていったのだ。困ったら親が何とかしてくれる。そんな持馬が見たら、なるほど成田はアホみたいに見えただろう。

持馬は自殺していない。これは、生命保険で借金を返すプランが実行不可能ということ。そうなったら友人たちは最終的にオヤジさんに返してもらおうとするだろう。それくらいは持馬にも読めるはず。ということは、ヤツはすべて親に押しつければいいと考えているのだ。いい気なモンだ。

オヤジさんは、ぼくとタナカが捜索願を出すことをすすめてもウンと言わなかった。地方都市では小さなことも噂になる。それが怖いのだそうだ。気持ちはわかるが、それこそ持馬の思うツボじゃないのか。ぼくは次第に腹ワタが煮えくり返ってきた。

本日、40万全額下ろされています

親に探す気がないのなら、自分でできるところまでやってみようと思った。いま、持馬はどこにいるのか。それが特定できれば探しようもあるだろう。

翌20日、ぼくはまず郵便局に行ってみた。2度目にアパートに行ったときになくなっていた郵便物のなかに、簡易裁判所からの出頭命令があったのだ、誰かが受け取りに来ているとしたら、それは持馬しかいない。

でも、これは失敗した。郵便局は当人以外に郵便物の情報を教えてはいけないと法律で定められているらしい。来たか来ないかだけでも教えろと粘ってみたが断固拒否だった。

まあいい。次の手がある。今日はヤマダ氏のいる出版社からの振込日なのである。通知書によれば、振込額は40万以上と、かなりまとまった額。もしもヤツが元気でいるなら、この日を楽しみに待っているはずだ。

ぼくは口座のある支店に持馬になりすまして電話をかけ、名前と口座番号を伝えて「入・出金状況を知りたい」と言ってみた。この種のことはサービスの一環だから、たいていの銀行で調べてくれる。

担当の女性は「最近9件のものでよろしいですか」と言い「最新のものでいいです」と答えるとスラスラと教えてくれた。残高は百円台、すでに引き下ろされている。

ここが勝負だ。ぼくは弱り切った声でこう言った。

「手違いで友人にカードを預けてしまい、勝手に使われてるみたいなんです。どこの支店でおろされたかわからないですか」

怪しまれるかと思ったが、担当者に疑う様子はない。幸いにも、引き下ろされた時間まで調べてくれた。

「他行での引き下ろしですね。三菱銀行市ケ谷支店で本日12時38分に全額下ろされています」

市ケ谷だって⁉　持馬は東京にいるのか。現在、午後1時半。たった1時間前に、ヤツは金を引き出していたのだ。

それにしても市ケ谷とは考えたものだ。新宿、神田、池袋などの繁華街には、金を借りた業者があるから行きにくい。その点、市ケ谷は空白地帯。気をつけてさえいれば、知り合いに会うことも回避できる。ぼくは支店名を聞いて、業者にさらわれた可能性や、マグロ漁船にでも乗せられて、取られたカードを業者が使って金を出した可能性はまずないと確信した。

では、奴は2週間近く市ケ谷で身を潜めていたのか。手持ちの資料で調べると、市ケ谷にはこれといった宿泊先がない。安宿を探して泊まることはあるだろうが、浪費家でありホテル通である奴がそんなことをするとは考えにくい。

なぜなら、これは後でわかったことだが、4月10日には三才ブックスからの振り込みが25万あり、それもきっちり下ろしているからだ（残念ながら、この銀行は引きだし場所を教えてはくれなかった）。

25万あれば10日間はラクにしのげる。寝場所だって、そこそこのホテルが確保できるだろう。ただそれが本日の振り込みまでのツナギと考えているなら、宿はすでにチェックアウトしている可能性が高い。

どうして東京にいたのか、金を手にした持馬はどこへ……。いったん市ケ谷へ向かおうとクルマに乗ったぼくは、もう一度家に引き返して考えてみることにした。

成田空港か浦和競馬場か

ヤツが東京にいる理由はいくつか考えられた。

まず、今後の方針についてのビジョンがないからどこにいけばいいのかわからないというのはどうか。これは十分ありうるが、つかみどころがないから却下。パチンコ店など住み込みで働ける職場に潜り込んでいるケースも、ぼくひとりじゃ探しようがない。

次は持馬が欲望のカタマリである煩悩男だという点に着目してみる。東京ほどフーゾクが充実しているところはなく、ヤツはその内容を熟知している。つまり、手にした金で最後の豪遊をすべく、手ぐすねを引いていた。

これはあり得るだろう。ヤツが今晩ホテトルを呼ぶかソープに行くかであろうことは間違いない。ただ、それで満足して自殺することはないように思う。するなら10日の振り込みでもできるのだ。

第3に考えられるのはギャンブル。東京なら競馬にしても中央競馬に関東5場までできる。スポーツ紙をチェックすると、明日は平日だから当然JRAはなく、浦和のみ。ただし大井での場外発売がある。競馬で最後の勝負。過去の実績もあることだし、勝てば数百万の利益も夢じゃないので勝負に出るかもしれない。

東京にいる第4の理由は成田空港が近いことも考えられる。海外にズラかるつもりなら、明らかに東京にいるほうが便利だ。持馬は海外慣れしており、これほど確実な逃亡はない。ネックは海外で何をするかだが。

競馬か海外脱出か。どちらかのように思える。熟考1時間。ぼくは競馬だと結論を出した。

格安チケットを使っても、海外でのんびりするほどの資金は残らない。仮に裏金融で借り倒したとしても、いずれは金が尽きる。情報には強くてもリゾート地ばかり取材していたヤツに、ゼロから生活を始めるパワーはないと思うのだ。英語だってたいしてしゃべれないようじゃ仕事だって見つけにくいだろう。

その点、競馬には一発逆転がある。勝てば、借金を返せばいい。金さえ持っていけば金融機関だってうるさく言わない。ヤマダ氏のところには無理でも、ライターだって他社ならまだやれるだろう。オガタなら、逆に喜んで逃亡体験記を書けというかもしれない。結局ぼくは持馬を知っている男に頼み、ふたりで浦和と大井に分かれて張りこむことにした。

勝負がかりだ、買うなら馬を見て、が人情。それが無理でも大ビジョンで見たいだろうから、他の場外ではなく大井まで行くとの読みである。勝負に熱中している人間はガードが甘いし、ヤツはデブだから目立つ。まして場所は密室とも言える空間。

東京都1千200万人の中から、たったひとりの失踪者を探す作業だが、現れさえすれば絶対に逃すことはしない。

9時に家を出て浦和へ向かい、11時前には到着。正面ゲートをくぐり、入り口付近で新聞を読みながら作戦を立てる。

浦和競馬場は狭いので、スタンドやパドックはひと目で見渡せそうだ。入り口はふたつあるが、バスの発着もタクシー乗り場も正面ゲート。こっちを張っていれば逃すことはない。もしも指定席にいたら発見しにくいが、それは最終レースが終わり、門が閉まるまで見張ることで解決できる。

1レースが始まった。まだ来ないはずだ。ぼくが持馬なら、大きな勝負は転がしよりレースを絞る。ましてここは初見の馬だらけの浦和。早い時間から馬券を買うことはまずない。おそらくメインか、ひとつふたつ前からだ。ただ、レースを見てカンを養うことはアリだから油断はできないが。

「こっち、まだ来ないよ。思ったより広いんで、細かく動くことにする」

大井からの電話が入る。ぼくは2時まではとにかく動き回るように頼んだ。自分で興奮しているのがわかる。刑事は毎日こんな気分なんだろうか。

スタンドを回り、パドックにたたずみ、食堂を点検してまわる。なかなか現れない。いまごろ成田空港にいるのではと気が気じゃない。太った男を見るたびドキリとするが、みんな人違いである。

メインレースが近づいてきた。

「もう一度、しっかり見てくれ。レース中はスタンド最前列の柵まで行って、全体を見渡せよ」

たまらず大井に電話をかける。が、来ていない。奴は勝負に出ないのだろうか。

最終レースが終わり、指定席の客もみんな出て門が閉められた。50％の確率で競馬をやると踏んだぼくのカンは見事にハズれてしまった。張りつめた気分がいっぺんにしぼんでいく。もはや、手がかりは何もない。ぼくは、その後しばらく何の行動も起こさなかった。

不可解な情報が入ったのは、5月後半である。大家さんを通して、某街金へ持馬から電話がかかってきたという連絡が入ったのだ。

そのとき持馬は「いま新宿にいる。これから返済に行くから自分の借金総額を教えてくれ」と言ったらしい。が、現れることはなく、翌朝、ひょっとして部屋に戻っているのではと思った街金の担当者がアパートに来たそうだ。

「ウチは小さなところだから、少しでも返してもらいたいんです」

と大家に説明したという。

それが本当ならヤツはまだ東京にいることになるが、当てにはならない。ただ、考えるヒントにはなった。逃げ切るつもりの人間が、そんなことをするのはおかしい。この目的不明の行動は何なのか。考えられるとすれば、その街金が小さいがゆえに必死で回収に当たり、ヤツの実家まで行くなりしてかなりのプレッシャーをかけたことである。

で、とにかくそこは返そうと考えたのだが、返せる金額ではなかったのかもしれない。その場合、持馬は実家に連絡をとっていることになる。あれほど実家に甘えている男だ。電話ぐらいしたって不思議じゃない。

背筋も凍る振り込みの記録

5月31日、持馬の部屋を引き払う日がやって来た。膨大な荷物をほとんど粗大ゴミとして捨てる作業をするのはオヤジさんとぼくだけ。肉体的にはキツイが、オヤジさんとふたりになれるのは都合がいい。

オヤジさんが実家に持ち帰るのは大型テレビとビデオ、ゴルフバッグ程度。あとはすべて捨てると聞いていた。それを、急に衣服なども持ち帰るとなれば、オヤジさんと持馬は連絡を取り合っている確率が高くなる。

だが、ぼくはもう、ほとほと嫌気がさしていた。1カ月半も持馬に振り回されているのに疲れているし、捜索願を出さないとオヤジさんが言い張るなかで探し続けることへのむなしさも感じる。

それに、ぼくは見てしまったのである。実は、1日で荷物が片づかないだろうと前日に整理によった際、ぼくは借金の督促状などをオヤジさんに渡しておいたほうがいいと思い、どっさり袋に詰めて持ち帰ったのだが、その中にオヤジさんが持馬に宛てた手紙が混ざっていたのだ。

そこには「心を入れ替えろ」「自己破産しろ」という怒りの文章とともに「もう私たちは一生終わりです」「骨までしゃぶられたみじめな思い」「極限状態です」といった悲痛なことばが書き連ねてあった。

が、ぼくが本当にショックを受けたのは、その手紙に同封されていた預金通帳のコピーを見てしまったことだ。そこにはオヤジさんがこれまで持馬の口座に振り込んだ、莫大な金の記録があった。数千万、いや億近くあったのではないだろうか。これだけの金を振り込んできたということは、オヤジさんもまた相当な借金をしているに違いない。

オヤジさんにしてみれば、このまま持馬が出てこなければ、借金は残っても、それはそれでスッキリするのではないだろうか。反面、息子がいずれ出てこないわけがないという気持ちもあるのかもしれない。

とにかく彼らの関係は彼らに解決してもらうしかないと思う。今回のことは、甘え甘やかす親子関係の極致がまねいた修羅場。もう、ぼくの出る幕ではない。

朝から始めた片づけは、夕方になってようやく終わった。雰囲気にさほど深刻なものはなく、前回よりむしろ明るかった。本棚の分解をしながら、オヤジさんは一瞬、鼻歌を口ずさんだほどである。

これで一段落、とも受け取れるし、息子と連絡が取れてホッとしているようにも見える。たぶん前者だろう。

「持馬からはその後、本当に連絡ないんですか」

別れる間際、ぼくはこの日何度目かになる質問をした。

「ないよ」とオヤジさんは答えた。

持ち帰る荷物は予定どおりだった。玄関脇には、これまで見たことがないほど豪華なゴミが積み上げられている。

「これから大変ですね」

オフクロさんは心労で倒れているらしい。

「ああ、そうだね」

オヤジさんはうつむいて言い、エンジンをかけて2時間の道のりを帰っていった。

（1998年8月発行、裏モノの本VOL3掲載）

☆

原稿はここで終わっているが、この話には若干の続きがある。

しばらくして、大家さんに確認してみると、某街金へ持馬が電話してきたとき、ヤツは「アメリカに行っていた」ともらしたというのだ。言い訳なのか本当なのかわからないが、もし事実だとすればあの日、持馬は成田に向かったことになる。振り込まれたギャラの使い道は競馬で一攫千金ではなく、海外逃亡。こっちにもチャンスはあったのだ。残念である。

持馬失踪事件はその後、編集部のツテを頼り、ある興信所の好意で捜索を継続した。

興信所の人は、持馬が持っていた携帯電話の通話記録が取れれば、ヒントがつかめるのではないかと言い、裏ルートで調べることになった。同時に、行方をくらますタイプの男が身を隠しそうなところも当たると約束。「そうムズカシいことではないですよ」と自信をちらつかせる。頼もしい。

ぼくのほうは定期的にアパートの郵便物をチェック（大家さんからの情報は、その折りに聞いたことである）。オガタは読者から寄せられる情報を待ち、有力な話があれば全国どこでも飛ぶべくスタンバイ。

国内にいるなら持馬はほぼ１００％、ぼくが書いた記事を読む。本人から連絡が入る可能性もなくはないのだ。

だが、興信所の調査結果はかんばしくない。どうやら携帯電話はすぐに料金未払いで止められたらしく、番号変更や機種交換をした形跡も残っていないという。自信ありげだった行方不明者探しのネットワークもうまく機能せず、居所はつかめなかった。まあ、無料奉仕なのだから多くを望むほうが間違っている。ぼくは7月半ばで調査を打ち切ってもらった。

相変わらず届いていた督促状も時間の経過とともに減っていき、「持馬さんは引っ越しました」の張り紙がドアに記されたアパートにも、秋になるとつぎの住人が入居した。もちろん本人からの連絡もない。仕事を放棄して逃亡したのだから、持馬にライター復帰の意思なしと判断して記事にしたのだが、そのことがますます姿を現しにくくさせてしまったのかもしれなかった。

読者の反響、これはすさまじかった。ふざけた投書やメールもあったが、自分のことのように心配している人が多い。なかには「新小岩の駅で毎朝8時前後に改札を通るそっくりの男がいる」などの具体的情報もいくつかあった。ダメモトでもいいから現地に行こうと思ったこともある。が、結局行かなかった。

探し始めてすでに3カ月以上。その間に思い知ったことがある。ヤツの身体的特徴である「存在感のあるデブ」は、世の中にたくさんいるのだ。なかにはドキリとするほど似ている人間もいて、思わず声をかけてしまったこともある。

情報はありがたいが、いちいち確認していたら身が持たない。まして読者はナマの持馬を知らない人たち。彼らの情報が正しいとはどうしても考えられなかった。

新たな情報として、一時期ヤツがつきあっていた女性の話が伝わってきた。つきあっていたのは数カ月間だったという。持馬はフーゾクこそ慣れていたが、いわゆる恋愛には無縁の男。それが女性とつきあうとどうなるか。見栄爆発である。だから最初のうちはいい。豊富な話題、カード使いまくりのデートでうまくいく。あるいはすでにカードは使えない状態だったかもしれないが、ぼくに接近したときのように誠実さを押し出し、嘘を嘘で固めていけばカムフラージュできる。

違っていたのは、相手がぼくほど鈍感でなかったこと。とりわけ持馬の金銭面のだらしなさに彼女は危機感を抱いた。無駄なタクシー乗車や高級飲食店への出入りと、ライターとしての収入を考えれば、何かあると察しがつく。そのうち持馬が借金を迫るようになると、彼女はとっとと別れを告げたそうだ。

生まれて初めてできた恋人にそうせざるを得ないところに、のっぴきならないところまで追い込まれた姿がうかがえる。つきあっていたのは消える半年ほど前まで。彼女との別れは、これで金を借りられる知人がゼロになったことを意味する。持馬は、別れのつらさとはまたべつの絶望感を味わったことだろう。

捜索が完全に行き詰まり、半ば忘れかけた翌年の春、突然オヤジさんから電話がかかってきたことがある。ぼくは書きかけていた原稿をほっぽり出し、色めき立った。

「持馬が戻ってきたんですか？」

が、オヤジさんの返事は違う。

「連絡ないんだよね。北尾さんのところに電話でもなかったかと思って」

「こっちにはないです。あるとすればタナカ君でしょう。彼とは万一連絡があったらそちらにすぐ知らせると約束しているんですが」

「そうですか」

「その後、いかがですか」

「いや、まあ。じゃあ連絡があったらこっちにも電話するよう伝えてください」

電話を切ってからいろいろ考えてみた。すでに持馬はオヤジさんのところに連絡を入れているのではないか。ひょっとすると実家にいるのでは……。どうもピンとこない。わざわざ、ぼくに電話をよこす理由がない。

ということは、オヤジさんが言うとおり、いっさい連絡がないということなのか。

情けない消え方をしたとはいえ、極度の甘ったれ男である。辛抱できず、親に連絡することは十分に考えられる。金の無心じゃないとしても、生きていることぐらいは伝えたくなってもおかしくない。ぼくはオガタと「あいつのことだから絶対に電話ぐらいしているよ」と話し合っていたものだ。それが、まったくの音信不通。考えられることはひとつしかない。

持馬はしぶとくどこかでうまくやっているのだ。借金取りから逃げおおせ、何かの仕事を見つけ、新しい生活を始めているのだ。

ヤツのことだ、そこでもきっと陽気なキャラクターで周囲の人に親しまれていることだろう。ときどきは迷惑をかけた親や友人のことも思い出すのだろうか。それとも……。

いずれにしろ、持馬が描いた人生のプランは、あの時点で終わりを告げた。そして、皮肉なことにあれほど持馬が見下げ、バカにしていたライター・成田無頼はすっかり立ち直った。当時、数百万円の借金を抱え、ビラ配りのアルバイトで糊口をしのいでいた成田は、上京した父親に督促状を発見されたことをきっかけにすべてを告白。ライター廃業を決意し、弁護士に依頼して任意整理に踏み切り、さる会社へ就職することになったのだ。親に肩代わりをしてもらった借金を返済するまでは頭が上がらないが、まずまず安定した生活を取り戻している。督促状や取り立て人がこない生活について、成田はしみじみこう言った。

「久しぶりに人間らしい生活をしているよ」

成田以上の借金を抱えていたくせに、なぜ持馬が見下した態度を取ることができたのかも、いまではっきりわかっている。借金について親に頼ろうとしていなかった成田に対し、持馬は親を金ヅルだと考えていた。ヤツにしてみれば成田は要領の悪いバカ以外の何者でもなかったわけだ。

2000年10月、タナカから電話が入った。持馬が消えてから、2年半になろうとしていた。

「持馬はあれっきりです。誰も消息をつかんでいません」

そうか。友人たちが貸していた金はどうなったのだろう。

「ああ、オヤジさんに返してくれるよう頼んだんですが、相手にされなかったそうです。このままだと泣き寝入りですね」

たぶんオヤジさんは、いまでも息子のために作った借金の返済でがんじがらめになっているはず。友人を相手にしたくても、できないのだ。今後もまず、金は戻ってこないはずである。

持馬の実家に行ってみるかな。

タナカや友人たちのチェックが厳しい実家に戻っている可能性はゼロに近い。いまさら探りを入れる気もしない。ただ、なんとなくスッキリしないことがあるのだ。どうしてオヤジさんは、あんなに周囲の目を気にしたのかが、いまもわからないのである。

秋晴れの11月下旬、ドライブがてら実家を目指した。北関東の小都市、高速を降りると、のどかな田園地帯が広がっている。いわゆる田舎の風景だ。

走っているうちに、少しずつわかってきた。ここでは近所はすべて知り合い、人の家の家族構成、就職先や嫁ぎ先まで、みんなが知っていてもおかしくない。息子が東京にいるうちはいいが、ここまで騒ぎを持ち込んだら、たちまち噂がたってしまいかねない。事は息子の不始末では済まない。必ず親の教育に及ぶ。それは長年にわたって築きあげた〝家〟の信用まで台無しにする危険がある。すでに金は失っている。そのうえ信用を失うことは、この場所で生きていかねばならない人間にとってなるほど恐怖だ。

保身、せめてものプライド、息子への怒り、そんな息子を野放しにした自分への嫌悪感。捜索願を出すことは、ぼくの想像以上にリスキーなことだったのである。

東京を出るときには、持馬の実家まで行くつもりでいたが、ぼくにはもうその気力がなかった。道ばたにクルマを止め、携帯で電話をかけるとオヤジさんが出た。持馬は、いない。わかりきっている返事。いまさら何の用かというトーン。

ぼくは会話もそこそこに電話を切った。すべて終わった気がした。

あとがき

10代だった頃、周囲のオトナたちは堂々として見えたものだ。

大学生は自分などより物知りであり、世慣れたふるまいはスマートに感じられた。

オヤジたちには分別があり、どんな事にも落ちついて対処できるだけの経験と知恵を備えているようだった。オドオドしたり緊張したりということには無縁の存在に思えたものだ。

だから、ぼくもいずれは彼らのような頼もしいオトナになれるものだと楽観していた。

しかし、自分が歳を取るにつれて、わかったことがある。人間、歳を取ったからといって、そんなに変わりはしないのだ。たしかに外見は変化する。経験を重ねてたいていのことは無難に対応できるようにもなる。

だが内面は違う。経験でカバーできることなんて、上っ面の部分だけ。根が小心な人間は、いつまでたってもオドオドしっぱなしなのだ。どっしり見える分だけ、むしろ内面とのギャップは大きくなったと言ってもいい。

錯覚だったのだ。オトナと見られる人の大半は、内心クヨクヨ、オドオドしながら、何喰わぬ顔でそれを見抜かれないようにカモフラージュしているだけなのだ。

30代も後半になると、その思いは確信に変わる。度胸や勇気、潔さなどは、待っていても身に付かない、と。

アセリが生まれた。このままでは、気になっていることを先延ばしにする意味がないではないか。時間は何も解決してくれないのだから……。


いかにたわいのないこととはいえ、勇気を振り絞るのは常にリスキー。本書を読めばわかるように、成功より失敗の確率が高い。

失敗はみじめだ。空振りした勇気のダメージは大きい。

それでも懲りずにやり続けたのは、いままでできなかったことができた瞬間のヨロコビが、ダメージよりはるかに大きかったからに他ならない。

雑誌連載中に、ぼくは40代になった。あのとき始めなければ、ここに記したようなことは一生できなかったに違いない。

名実ともにオトナになったとは全然思えないが、死ぬときになって「あれをやっときゃよかったなあ」と悔やむことが、いくらか減ったことだけは確かだろう。

ぼくはギリギリ間にあった。もっと早くやればよかった。

あなたにとって、「やってみたかったけど、できないこと」は何ですか？

２０００年12月　チータのＣＤを聞きながら　北尾トロ

解　説——人生上のどうにも引き返せない地点

えのきどいちろう

思い出深い一冊だ。単行本が出たとき、あんまり面白かったので、僕がパーソナリティを務めるTBSラジオの番組にとにかく出ていただこうと衆議一決した。どんな人か、しゃべった感じはどうか、よくわからないまま出演を打診し、そして北尾トロさんがふらりとやって来たのだ。

初めて逢うトロさんは、ハンチングをうしろ前にかぶり、ミュージシャン風に見えた。別の言い方をすると、中央線沿線、高円寺あたりの飲み屋の常連みたいだ。僕の第一印象は、「うわ、さすがに力が入ってないな」という納得感でも驚きでもあるようなもの。自然体みたいな生煮えの感じではない。力が入ってないことにかけては年季が加わってる。もうずっとリキまずにやってきましたし、いつリキまないことにしたのかも忘れましたよ、という風情だ。

話し込むうちにラジオの本番が終わり、話はスタジオの外で深夜に及んだ。トロさんのトークは飛び道具は使わないかわり、語り込ませると本当に味がある。番組中より番組終わってからのほうがずっと面白かった。それから度々、ゲストにお招きするようになった。つまり、僕は素晴らしい知己を得たのだ。

本書を一読して何より感じ入るのは、トロさんの感性の瑞々《みずみず》しさではないか。一体、何なのか。この奇妙なまでの瑞々しさは何だ。最初、僕はそれだけ身体《からだ》を張った取材をしたからではないかと考えてみようとした。しかし、すぐに却下した。身体なんて大概のライターが張っている。僕が受けとったものは、もっと生理的な話だ。読んでるこっちを引き込む、このドキドキ、この赤面、この気まずさ。身体なんかいくら張ったって、ここに踏みとどまるのは容易ではない。何かを取材して、そのときの心の震えを正直に書くのは、プロのライターには案外難しいことだ。一番エネルギーが要る。それがキツイから皆、頭で考えた事柄に逃げる。

ひょっとすると、これは北尾トロをもってしても「一生に一冊の本」なのかもしれないと思う。20代で書いてたら、たぶん思いつきが先に立った。30代でもタメが足りない。40代にさしかかり、人生上のどうにも引き返せない地点にたたずみ、驚くなかれ、トロさんは「勇気」をテーマに据えたのだ。何で又、そんなものを据えてしまったかについては、連載時のいきさつもあるのだろうが、トータルで判断するなら、これは書かれるべくして書かれた本だ。

構造は「中年男が長年、出さずにいた勇気を出す」だ。これは娯楽小説の黄金律といっていいパターンで、多くは自己救済や再生のファンタジーを形成する。佐藤賢一の直木賞受賞作『王妃の離婚』を典型としよう。

ところが、我が北尾トロは特に救済にも再生にも向かう様子がない。ファンタジーを駆動力にしていないのだ。まぁ、見ず知らずの他人に「鼻毛が出てますよ」と注意するような行為がいかなるファンタジーを駆って可能か、という問題はある。それにしてもファンタジーのことは全然アテにしていない。やってみたかったから、やってみるのだ。ずっとやれずにいて、このままじゃ残念だからやってみる。いわば「少年の好奇心」と「大人としてのなけなしの勇気」がエンジンだ。

カギになるのは生理的な感覚だと思う。窮屈なのだろう。やってみたいことがやれないのは不自由で窮屈なのだろう。思いきってやってみることにしたら、一体、何が起きて、当の自分自身はどうなるのだろう。実験ですね、これは。人体実験。被験者も自分なら、観察・

研究者も自分という、わけのわからない人体実験。

僕から見ると、ライターとしての北尾トロは、この「生理的なところにこだわり、生理的なところを踏み越えていく」に大変意欲的だ。ライフワークとして続けている裁判傍聴ものにも、その感触がある。そこがツボなのかなぁ。生理的なところを踏み越えて、いってみればグウの音も出ないような現実と出会っていく面白さ。

僕らはともかく喜ぶべきだと思うのだ。北尾トロが奇跡的な瑞々しさをたたえ、そして人生上の引き返せない地点まで生きてくれたことを。そして、どうやら「365歩のマーチ」を胸の内でつぶやきながら、このままズンズン歩いていくつもりらしいことを。

文句なく傑作である。もっとじゃんじゃんトロさんの本が読みたい。

——コラムニスト

この作品は二〇〇〇年十二月鉄人社より刊行されたものです。

キミは他人《ひと》に鼻毛《はなげ》が出《で》てますよと言《い》えるか

北尾《きたお》トロ

平成18年6月10日　初版発行
平成19年7月20日　7版発行

発行者——見城　徹
発行所——株式会社幻冬舎
〒151-0051東京都渋谷区千駄ヶ谷4-9-7
電話　03(5411)6222(営業)
　　　03(5411)6211(編集)
　　　振替00120-8-767643

印刷・製本—図書印刷株式会社
装丁者——高橋雅之

幻冬舎文庫

ISBN4-344-40799-7　C0195　き-17-1